ANGELUS SILESIUS / SÄMTLICHE POETISCHE WERKE

BAND 2

ANGELUS SILESIUS

SÄMTLICHE POETISCHE WERKE

In drei Bänden

———

Herausgegeben und eingeleitet

von

Hans Ludwig Held

Band 2

CARL HANSER VERLAG MÜNCHEN

ANGELUS SILESIUS

JUGEND- UND GELEGENHEITSGEDICHTE

HEILIGE SEELENLUST
ODER GEISTLICHE HIRTEN-LIEDER

CHV

CARL HANSER VERLAG MÜNCHEN

Neu überarbeitete dritte Auflage
Copyright 1949 by Carl Hanser-Verlag, München
Gesamtherstellung: Friedrich Pustet Regensburg,
Graphischer Großbetrieb

JUGEND- UND GELEGENHEITSGEDICHTE

Zum Namenstag
des Professors Chrysostomus Schultz

Nun auf, o du mein Geist, du mußt nicht stille schweigen,
Wie du nächst hast getan, du mußt jetzt wacker sein,
Mit ganzem Herz und Sinn nur denken bloß allein
Auf deines Meisters Lob, du mußt dich dankbar zeigen;
Denn er kann dir die Kunst durch seine Kunst zuneigen.
Ihr, unser Aufenthalt, Ihr, unser Sonnenschein,
Die Ihr Geschicklichkeit und Kunst uns gebet ein,
Lehrt ferner unsern Sinn und bleibet unser eigen
In dieser werten Stadt! Die freudenvolle Lust
Sei bei Euch allezeit, auf daß Ihr meine Brust
Mit guten Lehren labt. Wer Euch nicht wollte lieben,
Der wär ein Stock. Drum fahrt, wie Ihr getan, nun fort,
So kommen wir durch Euch zur wahren Weisheit Port,
Dann sollt Ihr recht von uns gelobt sein und beschrieben.

Auf den Tod des Johannes Blaufuß

Wie ein Schiffmann, wenn er schneidet
Mit den Rudern durch das Meer,
Große Furcht und Schrecken leidet,
Wird geschmissen hin und her,
Wenn der Wind das Meer durchblättert
Und auf alle Wellen klettert —

Bald hört er die Balken knacken,
Als sie wollten brechen ein,
Bald liegt ihm was auf dem Nacken,
Bald will alles fallen ein.
Da kömmt Angst und Not mit Haufen
Auf den Ärmsten zugelaufen.

7

Doch wenn sich die Wellen legen
Und die Sonne läßt ihr Gold
Wiedersehen nach dem Regen
Und er, was er längst gewollt,
An den Hafen kann gelangen,
Ist Not, Angst und Leid vergangen.

Also müssen auch viel leiden
Rechte Christen auf der Welt,
Alle Lust und Freude meiden
Und dem Trübsal fürgestellt
Hin und her geworfen werden
Auf dem Meere dieser Erden.

Aber wenn sie nur erreichen
Den gewünschten Freudenport,
Muß die Traurigkeit verbleichen
Und die Trübsal ziehen fort.
Ewig bleiben sie in Freude
Und in süßer Augenweide.

Keine Not kann sie berühren,
Keine Feinde greifen an,
Winde können sie nicht führen
Aus der rechten Freudenbahn.
Nichtes ist, das sie beschämen
Und die Freude könnte nehmen.

Also ist auch da mit Freuden
Schon Herr Blaufuß angelangt.
Darf nun keine Not mehr leiden,
Hat der Krankheit abgedankt,
Die ihm heftig zugesetzet
Und gar ofte hat verletzet.

Ihm ist alles zuckersüße,
Was vor lauter Galle war.
Er trinkt reine Lebensflüsse,
Die bei seiner Freunde Schar
Ihn erquicken, sehr erfreuen
Und mit Wonne ganz verneuen.

Drum muß gleich ein jeder gehen
Auf das wellenvolle Meer,
Trübsal, Not und Angst ausstehen
Und es ihm auch scheinet schwer,
Wird doch alles sein vergessen,
Wenn er hat das Meer durchmessen.

Es mag Trübsal, Angst und Plagen
Häufig auf ihn hageln zu,
Feinde mögen immer schlagen
Und ihm nehmen alle Ruh —
Seine Ruh wird noch wohl kommen,
Wenn das Trübsal weggenommen.

Drum er bis ans Ende bleibet
Und erduldet alle Not,
Wird dem Himmel einverleibet,
Kömmt gewißlich auch zu Gott,
Da er ewig mit den Seinen
Wie des Himmels Gold wird scheinen.

Widmung
an den Professor Christoph Köler

Ihr zartes Nymphenvolk am gelben Oderstrande,
Ihr keuschen Najades aufs Boberflusses Sande,
Erfreuet euch mit mir, sei froh du edle Stadt,
Weil heute wieder Dem die Morgenröte hat
Den Namenstag gebracht, den Phöbus so sehr liebet
Und ihm die werte Kunst, gelehrt zu singen, gibet,
Den er vor langer Zeit für seinen eignen Sohn
Schon ausgerufen hat, als er im Helikon
Des Pferdebronnens Wein auf ihn hat lassen fließen.
Ihr Perle dieser Stadt, Ihr habt mich erst entrissen
Der Nacht des Unverstands und reizt mich weiter an,
Der ich im Laufe bin, zu suchen eine Bahn
Zur Künste goldnem Vließ, und auf dem Scheidewege
Des jungen Herkules noch meine Füße rege.
Ihr habt mir aufgetan den Schatz, den großen Schatz
Der Künst und Wissenschaft, der wie ein Wiesenplatz
So voller Blumen ist, Herz, Augen, Sinn ergetzet,
Der von mir höher wird gehalten und geschätzet,
Als was Cubagua der Perlen Mutter gibt,
Als was der Spanier bei'n Indianern liebt
Und was Peru gebiert; der mich viel mehr erfreuet,
Als wenn der Blumenmann die ganze Welt verneuet.
Geh hin, Alkinous, mit deiner Gartenlust,
Ihr, Hesperinnen, geht und letzet eure Brust
Mit goldner Apfelfrucht, — hier kann ich Bessers finden.
Herr Köler ist der Mann, der aus der Weisheit Gründen
Mit himmelreinem Tau mein Herz und Sinn begießt,
Es ist der Fluß, von dem mir Kunst und Tugend fließt.
O auserlesne Blum und meiner Jugend Sonne,
Mein Augentrost und Licht und dieses Herzens Wonne,
Ihr gebt mir Lieblichkeit, die der Demokritus
Aus seinem Brunnen schöpft; von Euch wird Heinsius,

Die Welt Salmasius' und alle weisen Geister
Mir wohl bekannt gemacht. Daß ich vom Zeitenmeister,
Dem großen Scaliger, und andern Sternen weiß,
Das kommet mir von Euch. Laßt ferner Eurer Gaben,
Laßt ferner Eurer Gunst mich zu getrösten haben.
Mein Ziel ist Wissenschaft und solcher Leute Gunst,
Die Euresgleichen sind, da find ich rechte Kunst.
Viel könnten auf den Weg der wahren Weisheit kommen,
Wenn sie nicht eigner Wahn zu zeitlich eingenommen,
Als hätten sie das Ziel vorlängst schon gar erreicht,
Da auch sich mancher wohl dem größten Manne gleicht.
Wen Gott und die Natur mit Kunst bereichert haben,
Der denke, daß er auch die edlen Wundergaben
Nicht gar alleine hat. Des Höchsten Dienerin
Teilt einem wenig aus, dem andern hohen Sinn
Und auch die Kunst dazu. Durch Euer süßes Singen
Will sich mein Deutschland auch den Völkern gleiche schwingen,
Die ihrer Sprache Zier durch alle Welt gebracht,
Sich wie Athen und Rom zu'r Sternen Glanz gemacht.
Mars, tobe wie du willst, die deutsche Sprache blühet
Bei Schwert und Spießen auf; die Göttin Pallas siehet
So wohl ein edles Buch und unsre Musen an,
Als Mars dein Kriegesvolk und ihre Partisan.
Ach laßt doch Euren Ruhm nicht solches Streiten haben,
Ihr andrer deutscher Schwan, mit Motten und mit Schaben,
Gebt raus den edlen Wald, den die gelehrte Welt
An seiner Lieblichkeit den Rosen gleiche hält,
An Wert viel nützlicher als Gold und Perlen achtet,
Nach welchem auch mein Geist so lange hat getrachtet.
Doch denket Ihr vielleicht, ein Bach, der rauscht und lauft
Und mit den Fluten wird so eilends überhauft,
Zerfließet auch geschwind; ein Holz, das knackt und krachet,
Hält nicht sehr langen Lohn. Wie mancher wird verlachet,
Dem seiner Schriften Werk so lange währt und bleibt,
Als etwa selber er darüber sitzt und schreibt.
Wo will mein Sinn doch hin? Kann ich auch diesen zieren
Mit Versen, welchen man schon siehet triumphieren

Durch Schriften um den Kranz der greisen Ewigkeit?
Kann auch ein grüner Geist, dem seines Lebens Zeit
Im ersten Blühen ist, desselben Tugend preisen,
Den man mit Rechte setzt zur Zahl der großen Weisen?
Ach wahrlich, wahrlich nicht! Es wird zwar keine Frucht
In Gärten vor der Zeit begehret und gesucht.
Des Bromius Geburt, die augenreichen Trauben,
Der Gäste Trost, kannst du nicht von den Reben klauben,
Es muß denn vor der Stock begrünet sein und blühn:
Also muß auch zuvor ein unbejahrter Sinn,
Wie diese, seinen Lauf in kleinen Sachen haben.
So hoff ich, kann ich gleich nicht prächtig einher traben,
Es werd ein treuer Wunsch bei Euch so gültig sein
Als stolzer Reden Pracht. Soll ich denn was verehren,
So geb ich Euch mich selbst, weil Euren weisen Lehren
Ganz nichts die Wage hält, was Alabanda trägt,
Was Paria der Platz der Fröhlichkeiten hegt.
Und hätt ich gleich das Gold des Midas und die Schätze
Der reichen Araber, ja alle Wollustplätze
Des Pästus und Hymetts, so könnt ichs keine Zeit
Vergelten Euch, der Ihr mein andrer Vater seid.
Ist gleich das meiste Teil vom weisen Griechenlande
Durchs Krieges grimme Flut dahin ins Feuers Brande,
So seh ichs doch in Euch. Ihr sagt, was jene Stadt,
Was Rom, die andre Welt, des Martis Tochter hat,
Doch, was sie hat gehabt, sollt ich vielmehr jetzt sagen.
Was Sparta, was Athen für Arbeit hat ertragen,
Eh sie zu solchem Flor und Macht gelanget ist —
Das höret man von Euch; Ihr seid zum Ruhm erkiest,
Man sieht Euch allbereit in Fama Tempel leben,
Die Euch wird mehr und mehr Orion gleiche heben.
Der Höchste geb Euch Glück, Ihr Freude meiner Zeit,
Daß Ihr nach Wunsch hier habt die Erdenseligkeit
Und fahret, langsam doch, in die gestirnten Felder
Elysischer Manier lustschwangrer Freudenwälder!
Liebt unterdessen mich, so sag ich rund und frei,
Daß, was ich künftig bin, Euch zuzuschreiben sei.

Bonus Consiliarius
Zu Ehren des Andreas Lange von Langenau

Ich bin noch nie gewest auf des Parnassus Spitzen,
Wo der Poeten Prinz und seine Schwestern sitzen.
Ich habe nie gekost' den edlen Kastelsaft,
Den Pegasus gemacht und Phöbus noch verschafft,
Daß er soll quellreich sein und seinen Kindern schenken
Den süßen Nektarfluß, daß sie von seinen Tränken
Gebären eine Frucht, die sich dem Himmel gleicht,
Des Vogels Phönix Zahl an Jahren überreicht
Und tausend Sonnen sieht, des Pöfels Tun verachtet,
Nach dem was Himmel heißt, mit ganzen Kräften trachtet,
Des weiß ich keines nicht und darf mich unterstehn
Mit Versen stracks zu Euch, o großer Mann, zu gehn,
Die nicht vom Himmel sind. Es wird des Titans Wagen,
Der stolz und prächtig ist, von Pferden auch getragen,
Die hohes Sinnes sind. Der Hektor wollte nicht
Von einem, welcher war beraubt der Weisheit Licht
Und selber Lobens arm, sich jemals rühmen lassen.
Den Alexander darf in Erz und Gold verfassen
Praxiteles allein. Dem Bruder der Natur,
Apelles, war vergönnt, noch eine Kreatur
Dem Alexander gleich durch seine Kunst zu machen,
Sonst keinem stund es frei. Ich bringe solche Sachen,
Die Euch nicht gleiche sind, dieweil ein hoher Geist
Nichts will, was irdisch ist, nur liebt, was Himmel heißt.
Doch pfleget auch das Volk, so Weihrauch nicht kann haben,
Zu opfern seine Milch und andre schlechte Gaben.
So soll auch mein Gedicht, ob es zwar schlecht und klein
Wie dieser Leute Milch, so viel als Weihrauch sein.
Es ist ein schweres Tun, ein solches Amt verwalten,
Wie Euch ist aufgelegt und dieses auch behalten
Nach mäßigem Gebühr. Doch Euch ist es nicht schwer:
Ihr habet Eure Lust, wenn Ihr in diesem Meer
Ein Steuermann sollt sein. Ihr könnt im Schiffe stehen,
O ander Palinur, und unter Augen gehen

Der Widerwärtigkeit. Daß Ihr dies nehmet an,
Habt Ihr Euch schon gemacht des Weges rechte Bahn
In Eurer Blumenzeit, in Euren Frühlingsjahren
Und durch der Musen Kunst zur Gnüge wohl erfahren,
Wie Ihr Euch halten sollt und zeugen einen Mann,
Wenn die gewünschte Zeit der Ehren gehet an.
Es war Euch wohl bewußt, was Cato hat gesaget,
Der Mensch sei Eisen gleich, dem bloß alleine jaget
Der Nutz das Glänzen ein; hingegen ist der Rust
Geschäftig über ihm und machts zu lauter Wust,
Wenn es im Winkel liegt. Drum dachtet Ihr zu brauchen
Der Bücher goldnes Gut, ein Gut, das nicht verrauchen
Wie andre Sachen kann. Da habet Ihr gesehn,
Was in der alten Welt für Taten sind geschehn,
Für Ränke sind erdacht, die Feinde zu betrügen;
Wie Alexander hat mit seinen großen Kriegen
Die ganze Welt beherrscht, wie sich Philippus hat
Durch Klugheit und Verstand und tugendreiche Tat
Den Weg gemachet auf und gute Bahn gebrochen;
Wie sich der Römer Volk an Hannibal gerochen,
Carthago angesteckt; wie mancher starke Held
Sein Vaterland beschützt und vor der ganzen Welt
Die Ewigkeit erlangt; was Cäsar selbst geschrieben
Und selber hat getan; wie Mucius getrieben
Den König Porsena, als er verbrannt die Hand,
Daß er in kurzer Zeit von Rom sich abgewandt.
Ihr wart, wie Scipio, der Afriken bezwungen
Und sich bei aller Welt ein grünes Lob errungen,
Wart niemals ruhiger, als wann Ihr hattet Ruh,
Mit dem, was löblich ist, bracht Ihr die Muße zu.
Der hohe Tacitus erteilte gute Lehren,
Die tüchtig für Euch sind, daß Ihr jetzt könnet hören
Und werdet auch gehört. Der Crispus sagte wohl,
Was schädlich einer Stadt und was ihr dienen soll.
Der reiche Livius an Weisheit und Geschichten
War Euch ein lieber Freund. Ihr könnt Euch nach ihm richten,
Daß Ihr geschicket seid auf einen jeden Fall,

Er sei auch, wie er sei; daß man die Stadt und Wall
Mit Eurem weisen Rat und der Erfahrung schützet,
Wenn gleich der Feinde Heer bisweilen Feuer blitzet
Und Kugeln speiet aus; wenn gleich Vulkanus kracht
Und seinen Schmiedezeug zu lauter Pfeilen macht,
So wißt Ihr Rat davor. Gleich wie ein Sommerregen
Der ganzen Erde nutzt, so ist auch viel gelegen
An abgestorbner Zeit. Wenn nicht die Sonne scheint,
So sieht man nichts als Nacht; wenn Luzifer nicht reint
Das schwarze Sternenhaus, pflegt auch die Nacht zu bleiben
Und Morpheus bringt ein Kraut, das Traurigkeit vertreiben
Und Trauren geben kann, wenn er die Träume*) streut
Und ihren Samen sät. Wer nicht die alte Zeit,
Das Licht der neuen Welt, die Richtschnur dieser Erden
In seinem Kopfe hat, der kann so groß nicht werden,
Als mancher worden ist. Wer nicht die Zeiten weiß,
Hat bei der weisen Welt gar keinen Ruhm und Preis.
Doch muß ich zwar gestehn, daß sich zu unsren Zeiten
Ihr etliche gekonnt durch alle Welt ausbreiten
Aus Güte der Natur: sie hatten nichts erkannt,
Als was die Mutter sagt und was ihr Vaterland
In eigner Sprache weiß. Ihr konntet auch nicht sitzen
In Eurem Vaterland und bei dem Ofen schwitzen,
Wie mancher Ritter tut, den niemals aus der Stadt
Noch seiner Mutter Luft der Fuß getragen hat.
Es mußte sein gereist. Ihr mußtet Länder schauen,
Die witzig und gelehrt; es war bei Euch kein Grauen
Vor fremder, rauher Luft. Wer etwas sehen will,
Der muß nicht feige sein, muß nicht der Winde Spiel,
Wie grausam es auch sei, und ihr Scharmützel achten,
Muß einzig und allein nach seinem Vorsatz trachten,
Wie Ihr, Herr, habt getan, daß Ihr für fremde Tracht
Habt Weisheit und Verstand nach Hause mitgebracht.
Es ist bisweilen gut, sein Vaterland verlassen
Und andre Nation auf eine Zeit umfassen,

*) Gedruckt steht Bäume.

Daß man Geschicklichkeit und Künste lernen kann,
Die nach der Wiederkunft beweisen einen Mann.
Ulysses hätte nicht in Kriegen das erfahren,
Was er erfahren hat, wenn er in zwanzig Jahren
Die Insul Ithake nie hätte lassen sein,
Vornehmlich in der Zeit, da seiner Jugend Schein
Im ersten Glimmen war, er wäre wohl geblieben
Ulyssus Ithakus, nichts würde sein geschrieben
Von ihm und seiner Tat. Jason drang durch das Meer,
Damit das goldne Vließ ganz eigen seine wär
Und er ein großes Lob mit stolzem Triumphieren
Nach Hause brächte mit. Wer sich will ewig zieren,
Muß lieben fremde Luft. Der Plato würde nicht
So weise worden sein, wenn er nicht an das Licht
Der Fremden kommen wär; er mußte nur verreisen
Von seiner Mutter weg, wo er die hohen Weisen
Mit Augen wollte sehn. Ein solcher Mann ist wert,
Den Gott und die Natur der kranken Welt beschert,
Daß er in Zedern steht. Dies ist auch Euch geschehen.
Die Tugend ist belohnt, Ihr mögt mit Recht ansehen
Des Fürsten Angesicht. Was mancher noch nicht weiß,
Habt Ihr schon lang gewußt durch Euren großen Fleiß.
Wie wenn der Luzifer die feuchte Nacht erschrecket
Und fället zu ihr ein und alles Volk bedecket,
Das bei ihr Wache hält, der Himmel sich verneut
Und die betrübte Welt mit Fröhlichkeit bestreut:
So war es damals auch, da Ihr mit Euren Sinnen
Durch große Wissenschaft und Gunst der Kastalinnen
Die andren überschient, gingt allen prächtig für
Und Euch ein jeder hielt fürs Fürsten größte Zier.
Die Pallas, welche hat der Jupiter geboren
Aus seines Hauptes Kraft, habt ihr zu sein erkoren
In Eurem Herz und Sinn, regieret Euren Geist,
Daß er, was gut ist, tun, was schädlich, lassen heißt.
Wo diese Jungfrau wohnt, ist alles wohl bewahret,
Wenn gleich der Feinde Macht nicht der Kartaunen sparet
Und hagelt auf sie zu, so bleibet sie doch frei

Von der geschminkten List; die Eicheln, so von Blei,
Berühren nicht ihr Werk. Was sie von Pyrrhus sagen,
Daß er der Musen Volk in seiner Hand getragen,
Die traget Ihr im Kopf und nicht durch Kunst gemacht,
Durch die der Ring bestand, wiewohl er nicht erdacht
Von einem Menschen war. Die dreimal drei Göttinnen,
Des Phöbus seine Lust, die hohen Pegasinnen,
Sind bei Euch allezeit. Seh ich Euch weiter an,
So seid Ihr Cato gleich, den nichts bewegen kann,
Ein Mann zum Ernst erzeugt. Ihr laßt vorüber rauschen
Des Glückes Wankelmut und wenn es gleich will tauschen,
Das Gute nehmen weg und Böses bringen her,
So achtet Ihr es nicht, es scheinet Euch nicht schwer
Noch zu betrauern sein. Die Göttin, so den Rosen
Und Rädern sich vergleicht, fängt nicht mit Liebekosen
Noch Dräuung Euren Sinn; Ihr bleibt von ihr befreit
Durch Euren weisen Kopf und große Tapferkeit,
Ihr braucht des Glückes so, daß man kann billig sagen,
Das Mittel sei Euch lieb. Weil noch der Sonne Wagen
In rechter Straße lauft, so geht es wohl der Welt;
Wenn aber Phaeton die heißen Zügel hält,
So ist es schon geschehn. Es können weise Sinnen
Bei großen Herren viel; was Degen nicht gewinnen,
Das kann ein weiser Kopf, fürnehmlich wenn sie sehn
Auf ihren Herren selbst und sich nicht fälschlich drehn
Nach der Fortuna Spiel. Ihr folgt in allen Dingen
Dem klugen Clytus nach und wollet Euch nicht schwingen
Zu Aristippus hin; betrachtet oft und viel,
Was einem Ruhm gebiert und was ihn von dem Ziel
Der Tugend schüppen kann. Es tut Euch sehr belieben
Gerechtigkeit und Recht, das öfters außen blieben
Bei großen Herren ist; man hat es nicht geacht
Und aus den Höfen fast mit böser List gebracht.
Doch ob man gleich auch will mit vielen Reden sagen,
Astrea habe sich in Himmel lassen tragen
Und sei nicht mehr bei uns, so kann es doch nicht sein;
Es müßte ja die Welt in Abgrund fallen ein,

Wenn nicht Gerechtigkeit sie sollt im Bau erhalten.
Es würde Lieb und Treu bei allen bald erkalten,
Wenn sie nicht sähe zu. Sie ist das starke Band,
Das ganze Städte bindt, ein himmelbreites Land
Im Zaume halten kann. Sie hat die höchsten Gaben,
Die auf der weiten Welt ein Sterblicher kann haben.
Nichts ziert mehr einen Mann, der großer Ehren reich,
Als dieser Tugend Licht; sie macht ihn Gotte gleich
Und hebt ihn himmelhoch. Ihr werdet hoch geachtet
Und habet große Gunst, daß Ihr nach Wahrheit trachtet,
Die Lügen feindet an; Ihr redet frisch und frei,
Was Euch im Herzen ist ohn alle Gleißnerei;
Gebt nichts Achilles nach, der solchen falschen Herzen
Ist spinnefeind gewest, er sagte, daß die Kerzen
Der schwarzen Furien so arg kaum könnten sein
Als ein geschminktes Wort, das unter gutem Schein
Ein falsches Herz verbirgt. So war bei alten Zeiten
Der weise Piso auch, so konnte stattlich streiten
Das alte deutsche Volk. Wer Ruhm und Ehren will,
Der muß auf andre sehn und setzen hin sein Ziel,
Wenn er gleich untergeht. Ihr haltet hoch verschwiegen,
Was Ihr verrichten sollt, es sei zu tun von Kriegen,
Es sei von Friedensgut, Mäcenas unsrer Zeit,
An andren Sachen mehr und an Verschwiegenheit.
Es mußte seinem Rat auch Alexander zeigen
Durch seinen Fingerring, wie oftermals das Schweigen
Bei Räten müßte sein. Ihr dürfet dieses nicht;
Wozu es nutzt und dient, seid Ihr schon längst bericht.
Dies ist das rechte Band, das große Sachen bindet,
Dies macht, daß nicht der Feind die rechten Griffe findet,
Wie er sich schicken soll. Wer weislich schweigen kann,
Erhält oft eine Stadt, verjaget tausend Mann,
Wenn sie gleich eisern sind. Pompejus durfte zeigen
Dem frechen Gentius, ob er nicht könnte schweigen,
An seiner eignen Haut. Dies ward bei Euch gespürt,
Drum wurdet Ihr auch bald an diesen Ort geführt.
Das wird auch Regensburg und Wien an Euch noch preisen,

Wie Ihr daselbst gekonnt die Tapferkeit beweisen.
Der große Ferdinand hat selber Euch gehört,
Wie eben auch sein Sohn Euch schon hat so geehrt,
Als wäre selbst der Fürst bei seinem Thron erschienen
Und großer Majestät. Ihr steht auf einer Bühnen,
Die nicht im Finstren liegt, die allen offen steht;
Ein jedermann kann sehn, wie es zu Hofe geht.
Drum denket Ihr auch so das Leben anzustellen,
Daß Euer starkes Schiff nicht durch die Zentnerwellen
Zu Trümmern möchte gehn. Das Volk hält in der Acht,
Was große Leute tun. Was einmal arg gemacht,
Wird nicht bald wieder gut. Apollo wirft die Strahlen
Viel eher auf den Berg, er wird viel eher malen
Ein stolzes Schloß und Turm als eines Bauren Haus,
Da bloß die Einfalt wohnt und gehet ein und aus.
Ein kleiner Haselstrauch bleibt vor den starken Winden
Mit seiner Wurzel stehn; hingegen wenn sie finden
Den allerhöchsten Baum, so wird sein hohes Haupt,
Das über alle sieht, der großen Zier beraubt
Und ganz geschmissen um. Ihr habt Euch nie erhaben,
Wie der Sejanus tat, den seine großen Gaben
Und der Fortuna Gunst so hoch ans Brett gebracht,
Daß auch Tiberius, der Kaiser, nichts gemacht,
Was nicht Sejan gewußt. Doch da die stolzen Sinnen
Noch größer wollten sein und Höhres zu gewinnen
Im Herzen nahmen vor, da drehte sich das Blatt,
Fortuna ward ihm feind und stieß ihn frischer Tat
Von seinem Amte weg. Der ist nicht reich zu schätzen,
Der gleich viel Reichtum hat und sich damit will letzen,
Nur tun, was ihm gefällt. Wer weislich brauchen kann,
Was ihm gegeben ist, wie Ihr, Herr, habt getan,
Der wird für reich geschätzt. Ihr nehmet nicht Geschenke
Noch fälscht damit das Recht, haßt alle schlimmen Ränke,
Die gar gemeine sind im Laufe dieser Zeit,
Da sich die Falschheit hat mit Gleißnerei verfreit.
O ander Herkules, Ihr müßt den Atlas stützen,
Wo er soll unbewegt mit seinen Felsen sitzen;

2*

Ihr seid der Arbeit gleich, wo Euer Atlas sinkt,
Da helfet Ihr ihm auf, daß er sich wieder schwingt
Mit seiner Last empor und unbeweglich stehet,
Wie ein gesteinter Fels nicht mit den Wellen gehet
Noch vor den Wellen fleucht, er lacht das stolze Haus
Des Vaters Aeolus mit seinem Sausen aus.
Wenn Ihr das Vaterland mit Blute könntet retten
Aus dieser großen Not, so wollt ich mich verwetten,
Ihr würdets männlich tun, wie Curtius der Held,
Der sich für seine Stadt in eine Kluft gefällt
Und da sein Leben ließ; wie Codrus, der mit Freuden
Zu seinen Feinden ging und lieber wollte leiden,
Als andre leiden sehn, starb einen edlen Tod,
Durch den er lebet noch. Doch jetzt ist es nicht not,
Es hülfe keinem nicht. Wer aber seinem Lande
Nicht wollte stehen bei in solchem großen Brande,
Der wäre wohl nicht wert, daß es ihn hätt erzeugt,
Gegeben an das Licht und mütterlich gesäugt.
Wenn bei uns herrscht der Mai, der Wiesen Seidensticker,
Der Menschen neue Lust, der Feld- und Walderquicker,
Der Vogel Paradies, beheftet er das Feld,
Stickt Gold und Perlen ein, bestirnt die schöne Welt
Und macht, daß Feld und Wald, die hohen Berg und Anger,
Der grünen Täler Gruft mit Blumen gehen schwanger
Und alles sich verjüngt, so glänzt doch andren für
Die weiße Lilie, der Blumen Pracht und Zier,
Der Erden Venusstern. So siehet man auch glänzen,
Den andren ohne Neid, durch unser Land und Grenzen
Die Tugend, so Ihr habt, der Freundlichkeiten Stern,
Der als die Sonne gleißt, sich zeiget weit und fern
Und Strahlen wirfet aus. Gleichwie man siehet scheinen
Den mehr als weißen Schnee, wenn er bei nackten Steinen
Auf bloßer Erden liegt, so dünket mich zu sein
Der großen Weisheit Glanz, der edlen Tugend Schein,
Der, Herr, von Euch entsteht, wie von den blinden Nächten
Das rosenrote Kind, das ihren stolzen Knechten
Den Zierrat ganz benimmt, des Morgens wird erzeugt

Und die verschlafne Welt mit seinem Glanz eräugt.
Es zündet Euch nicht an, die böse Lust zu kriegen,
Wie manchen dummen Sinn, der sich Triumph und Siegen
An allen Orten sucht, da es denn doch ihm fehlt,
Obgleich sein Mut, sein Sinn, sein Herze war gestählt
Mit Worten ohne Tat. Wer Ruh und Friede liebet
Und weisen Sinnes ist und treue Freundschaft übet,
Der leget lieber hin das Zanken, Haß und Krieg,
Weil es in Zweifel steht, bei welchem noch der Sieg,
Wird wollen halten Stich und ihm den Kranz verehren,
Um den man fechten soll; der muß oft übel hören,
Der so verwegen ist. Wenn andre ruhig sein,
So dürft Ihr manche Nacht nicht einmal schlafen ein,
Indem Ihr sinnt und denkt. Wie Euch denn das gelehret
Epaminondas hat, dem alles unversehret
Vor seinen Feinden blieb; die Stadt und auch das Land
Ward vor der Feinde Macht mit seiner kühnen Hand
Als einem Wall beschützt, da er der Augen Strahlen
Des Nachtes scheinen ließ. Gleichwie auch pflegt zu malen
Der silberblasse Kreis, der Luna wird genennt,
Wenn zu uns kömmt die Nacht mit ihrer Schar gerennt,
Das sternenreiche Feld und für die Welt zu wachen,
Die tief im Schlafe liegt, fast nichts von ihren Sachen
Und dummen Händeln weiß, nur bloß den Morpheus sieht
Und seltsam mit ihm sprach, wenn seine Saate blüht.
Die alte weise Treu, durch die wir Deutschen blühen,
Durch aller Völker Mund mit Lob und Ehren ziehen,
Bewohnet Euer Herz; Ihr haltet, was Ihr sagt,
Wie Marcus Regulus, nicht, wie es mancher wagt,
Der zusagt und nicht hält, da doch der Grund der Erden
Auf Treu und Glauben steht. Wenn alles sollte werden
In fahlen Staub verkehrt, so muß der Glaube sein,
Sonst fiele stracks vor sich das ganze Bauwerk ein,
Der himmelrunde Kreis. Nichts Schöners kann man finden
Als einen treuen Mund; was man ergräbt in Gründen,
Kann nicht so edel sein. Der Ganges und sein Strand,
Der perlenschwanger ist, hat Schöners nicht erkannt.

Ihr seid kein Monatsfreund; denn, wen Ihr lieb gewinnet,
Den liebt Ihr allezeit; seid immer drauf gesinnet,
Wie Ihr noch schöner ziert des Alters Liberei,
Indem Ihr allen dient und wißt, daß Ihr dabei
Nicht schlechte Gunst erlangt. Nun will ichs lassen bleiben,
Von Eurem großen Lob, o großer Mann, zu schreiben
Und in das breite Feld jetzund nicht weiter gehn,
Daß ich nicht muß darnach verirret bleiben stehn.
Ihr seid mir viel zu tief, ich kann Euch nicht ergründen.
Gleichwie ein Bergmann muß, wenn er will Silber finden,
Von außen fangen an und graben eine Gruft
Mit Weile, bis er kömmt zu Silber unverhofft,
So hab ich auch gedacht, jetzund nur anzufangen
Zu suchen Euer Lob, ich kann nicht weit gelangen
An seinen tiefen Grund; das Werk erfordert Zeit
Und größre Kunst dazu und mehr Geschicklichkeit,
Als jetzt noch bei mir wohnt. Drum lasset Euch belieben,
Was ich zu dieser Zeit mit schlechter Kunst geschrieben,
Mit Kunst, die Euch gar nicht zu loben mächtig ist,
Euch, den der Himmel hat zu einem Licht erkiest.
Wo mir Gott und die Zeit was werden wollen geben,
So sollet Ihr durch mich und ich durch Euch erleben
Der Zeiten graues Haar. Nehmt jetzt nur dieses an,
Bis ich an meinen Wunsch mit Lust gelangen kann!

Trostgedicht an Joh. Gg. Dietrich von Burgk anläßlich des Todes seiner Tochter

Wie mögt Ihr Euch, mein Freund, um Euer Kind betrüben,
Daß es nicht länger ist bei Euch auf Erden blieben?
Weil Euch doch wohl bewußt, daß beide, Greis und Kind,
Auf dieser Welt nur fremd und Pilgersleute sind?

Vergeßt Ihr, daß Ihr selbst nur auf der Reise lebet
Und, ob Ihr zwar ein Mann, in tausend Furchten schwebet?
So Ihr nun Vater seid, was klaget Ihr denn viel,
Daß Euer liebes Kind vor Euch gelangt ans Ziel?

Ich preise sein Gelück, daß es dem Raub und Morden,
In welchem wir noch sind, ein Kind und jung entworden.
Trägt es gleich nicht die Kron, die auf den Streit gebührt,
So ists auch der Gefahr befreit, die uns berührt.

Es darf nicht mit der Welt und ihren Eitelkeiten
Noch mit des Teufels List, noch seinem Fleische streiten
Und oft verwundet sein. Die Unschuld ist ihm schon
So viel als uns der Sieg und Überwindungskron.

Das selge Töchterlein trinkt frei von jenen Flüssen,
Die weder Ihr noch ich in dieser Zeit genießen.
Es schwebt im Paradies und ruft in sanfter Ruh
Den andern Kinderlein als Liebsgespielen zu.

So ist es demnach nicht zu früh von Euch genommen,
Weil es in seine Heimt und Vaterland gekommen.
Es hat genug gelebt, weil es das Ziel erreicht,
Das sonst manch alter Mann, o Jammer! nicht bestreicht.

Drum gebet Euch zur Ruh, laßt Euer Trauren fahren,
Die Christen rechnen nicht ihr Alter nach den Jahren.
Ein Kind, das Gott aufnimmt und Christus sich erwirbt,
Ist alt genug gewest, obs gleich noch jung hinstirbt.

Christliches Ehrengedächtnis des Herrn Abraham von Franckenberg auf Ludwigsdorf

Du edler Franckenberg, so bist Du nun versunken
Und in der Ewigkeit ganz seliglich ertrunken,
Wie Du Dir oft gewünscht! Du lebst nunmehr von Zeit,
Von Vor, von Nach, von Ort, von Leid und Streit befreit.

Es hält Dich nicht mehr auf des Leibes schwere Hütte,
Du schwebest freiheitvoll im göttlichen Gemüte,
O hoch befreiter Berg! Ein Berg von Gott erkorn,
Den er zu seinem Thron hat aus sich selbst geborn.

Wer kann doch Deinen Stand und Seligkeit beschreiben?
Wer kann die Herrlichkeit, die Dir wird ewig bleiben,
Nur obenhin erzähln? Weil Du schon in der Zeit
Mit einem großen Teil derselben warst bespreit.

O hohe Seligkeit! Du liegst ohn alle Sorgen
In der gewünschten Schoß des süßen Gotts verborgen,
Du ruhst in jenem Grab, das sich (o Wundertat!)
Aus Liebe gegen uns am Kreuz eröffnet hat.

Ich mag Dich ohne Scheu den Engeln gleiche schätzen
Und in das weise Chor der Cherubinen setzen,
Mit welcher klugem Witz und hohen Reinigkeit
Du Dich, so viel man kann, gegleicht hast in der Zeit.

Du bist nunmehr mit Gott ein Geist, ein Licht, ein Leben,
Du bist, wie Gott, mit Schmuck und Herrlichkeit umgeben,
Du bist ein Gott mit Gott und eine Seligkeit,
Du bist ein Turm, ein Berg, ein Fels der Ewigkeit.

Du lieber Abraham, wie wohl ists Dir gelungen,
Daß Du durch wahre Lieb und Glauben eingedrungen
Und recht gekämpfet hast und Dein vertrautes Pfand
So treulich und gerecht und mannlich angewandt.

Ich darf mich nicht bemühn, Dein Lob hier zu erheben;
Die Schriften werden dir genugsam Zeugnis geben,
Die aus der Weisheit Quell Dein Geist herfürgebracht
Und Dich durchs ganze Land den Frommen kund gemacht.

Wer Dich nicht liebt und lobt, der muß Dich gar nicht kennen
Und, so er Dich ja kennt, das Gute Böse nennen;
Doch sag er, was er will, Du grünst doch für und für,
Die Unverrücklichkeit ist ewig Deine Zier.

Es wird Dein Ruhm in Gott, so lange Gott, bestehen
Und mit dem Untergang der Welt nicht untergehen.
Der Fels, auf den Du Dich so fest hast eingesetzt,
Der wird in Ewigkeit von keinem Sturm verletzt.

Laß Menschen Menschen sein, laß Tiere Tiere bleiben,
Ein Geist, den ihrer Zunft die Götter einverleiben,
Ist alles Zufalls frei, wird nicht mit dem berührt,
Was sonst die Sterblichkeit bekümmert und verführt.

Wie wohl wird der gelobt, den Gottes Engel preisen,
Dem alle Lieb und Gunst die Himmlischen beweisen!
Das Lob, das in der Welt und von der Welt entsteht,
Das währet wie ein Dampf, der in der Luft vergeht.

Ihr armen Sterblichen, wie seid ihr so verblendet,
Daß ihr nur Herz und Sinn nach diesem Dunste wendet!
Ihr waget Leib und Seel um solcher Nichtigkeit
Und habt doch nichts zu Lohn als lauter Herzeleid!

Hergegen denkt ihr nicht, der Seelen Ruhm und Ehren,
Wie einem Christen ziemt, nach Möglichkeit zu mehren.
Liebt also Stank für Kraft und Wolken für den Schein;
Mag dies auch wohlgetan, nach Ruhm gestrebet sein?

Kommt her, ihr E d e l e n, die ihr nach Tugend ringet
Und euer Herz in Gott durch alle Wolken schwinget,
Wo rechter Adel ist, betrachtet diesen Mann,
Schaut unsren edlen Berg mit steifen Augen an!

Hochedel am Gemüt, gestrenge sein im Leben
Und hochbenamt in Gott, des Eiteln sich begeben,
Den Glauben halten fest und lieben Gott allein:
Dies wird sein Ehr und Ruhm, dies wird sein Adel sein.

Der Adel, der besteht. Laß alle Sterne schwinden,
Laß ihren ersten Punkt der Zeiten Kreise finden,
Laß alles edle Fleisch versterben und vergehn,
So wird er doch allein ganz unberührt bestehn.

Was Winde haben doch an d i e s e n B e r g gestoßen!
Wie hat Beelzebub gestürmt mit seinen Schlossen!
Wie oft hat Belial ergossen seine Flut!
Er ist doch allezeit geblieben steif und gut.

Schaut, wie er hat gegrünt! schaut, wie er hat geblühet
Und schöne Früchte bracht! Wer hier nicht Adel siehet
Und anders sagt und meint, muß plumper als ein Stein
Und an dem Augenlicht blind wie ein Maulwurf sein.

Doch dieses ist gering. Wie oft durchs Himmels Güte
Sich über Zeit und Ort sein edeles Gemüte
In Gott erschwungen hat und alldar angeschaut,
Das bleibet insgeheim und Gott allein vertraut.

Gleichwie ein Adler tut, der durch die Wolken dringet
Und sich ganz turstiglich vor seine Sonne schwinget,
So pflag sein edler Geist. Er schwang sich ohne Bahn
Hinauf und schaute da sein L i c h t und L e b e n an.

Sein L i c h t, das über ihm die starken Liebesflammen
Jetzt in der Ewigkeit nunmehr schlägt ganz zusammen;
Sein L e b e n, das in ihm gelebt und ewig lebt,
In dem er wiederum ganz frei und freudig schwebt.

Wollt ihr nun diesen Stand, ihr Sterblichen, erlangen
Und edle Leute sein, so geht, wie er gegangen,
Tut, wie die Helden tun, verachtet diese Zeit,
Schwingt euren Geist durch Gott hin in die Ewigkeit.

Seht, alles was die Welt pflegt hoch und groß zu achten,
Das wird in einem Hui durchs Feuers Brunst verschmachten.
Wer aber seine Seel allhier hat ausgeziert
Und adelig gemacht, der bleibet unberührt.

Was hilft Geschlecht und Stand, wo Gott nicht wird geliebet?
Wie kann d e r edel sein, der keine Tugend übet
Und an der Erde klebt? Ich sage kühn und frei:
Wer Gott nicht lauter liebt, daß er nicht edel sei.

Dich aber, liebster Freund! B e r g, den die Edlen kennen,
Kann ich mit Fug und Recht wohl dreimal edel nennen.
Dein L e i b aus edlem Blut, der G e i s t aus Gott geborn,
Die S e e l in Tugenden hochadelig erkorn.

Wird nun auch unser Geist nach diesem Adel rennen
Und in der Liebe Brunst zu seinem Gotte brennen,
So werden wir gewiß den Edelen gegleicht,
Die unser Franckenberg schon selig hat erreicht.

Wer Zeit nimmt ohne Zeit und Sorgen ohne Sorgen,
Wem gestern war wie heut und heute gilt wie morgen,
Wer alles gleiche schätzt, — der tritt schon in der Zeit
In den gewünschten Stand der lieben Ewigkeit.

Unter einem Bildnis Jakob Böhmes

Im Wasser lebt der Fisch, die Pflanzen in der Erden,
Der Vogel in der Luft, die Sonn im Firmament.
Der Salamander muß im Feur erhalten werden:
Und Gottes Herz ist Jakob Böhmens Element.

HEILIGE SEELENLUST
ODER GEISTLICHE HIRTEN-LIEDER

I

Die Psyche seufzt nach ihrem Jesu
wie ein einsames Turteltäublein nach seinem Gemahl

1

Wie ein Turteltäubelein
In der Wüsten seufzt und girrt,
Wann es sich befindt allein
Und von seinem Lieb verirrt,
Also ächzet für und für,
Jesu, meine Seel nach dir.

2

Keine Stunde geht fürbei,
Daß ich nicht gedenk an dich
Oder ja ganz innig schrei,
Jesu, Jesu, denk an mich!
Ach wie lange soll ich doch
Dieses Elend bauen noch!

3

Eine Seele, die dich liebt,
Will sonst nichts als deinen Kuß,
Und drum bin ich so betrübt,
Daß ich den entbehren muß.
Ach, wie lange muß ich sein
Ein so armes Täubelein!

4

Meine Seel ist ja die Braut,
Die du dir hast selbst erkorn,
Die dein Vater dir vertraut
Und dein Geist hat neugeborn.
Ach, wie muß sie so allein
Und ohn ihren Bräutgam sein!

5

Ofte nennst du mich dein Kind,
Das dein Geist so zärtlich liebt
Und sich gerne bei ihm findt,
Wanns aus Liebe wird betrübt.
Und ich muß doch jetzo sein
Ein verlassnes Waiselein.

6

O, erscheine doch, mein Licht,
Deinem armen Käuchelein,
Weil ihm nichts als du gebricht
In dem finstern Leibeshain.
Ach Herr, laß es doch geschehn,
Daß ich dich mag bei mir sehn!

II
Die Psyche ruft aus Verlangen ihrem Geliebten

1

Ach, wann kommt die Zeit heran,
Daß ich werde schauen an
Meinen liebsten Jesum Christ,
Der mein Lieb und Leben ist?

2

Ach, wo bleibst du doch, mein Licht!
Komm doch fort und säum dich nicht,
Komm doch, weil mit großem Schmerz
Auf dich wart mein krankes Herz.

3

Kommst du nicht jetzt alsobald,
Meines Lebens Aufenthalt,
So vergeht vor Liebsbegier
Mein betrübter Geist in mir.

4

Allzeit weißt du, daß ich mich
Nicht erhalten kann ohn dich,
Weil du, liebster Jesu Christ,
Meines Lebens Leben bist.

5

Drum so komm doch bald zu mir
Und erfreue mich mit dir,
Schließ mich in die Arme ein,
Die für mich verwundet sein.

6

Reich mir deinen süßen Mund,
Tu mir deine Liebe kund,
Drück mich an die zarte Brust,
Die mir ewig schaffet Lust.

7

Also werd ich dort und hier
Fröhlich singen für und für,
Daß du, liebster Jesu Christ,
Meines Lebens Leben bist.

III

Die Psyche sehnt sich nach Jesu alleine

1

Jesu, komm doch selbst zu mir
Und verbleibe für und für.
Komm doch, werter Seelenfreund,
Liebster, den mein Herze meint.

2

Tausendmal begehr ich dich,
Weil sonst nichts vergnüget mich.
Tausendmal schrei ich zu dir:
Jesu, Jesu, komm zu mir.

3

Keine Lust ist auf der Welt,
Die mein Herz zufrieden stellt.
Dein, o Jesu, bei mir sein
Nenn ich meine Lust allein.

4

Aller Engel Glanz und Pracht
Und was ihnen Freude macht,
Ist mir, süßer Seelenkuß,
Ohne dich nichts als Verdruß.

5

Nimm nur alles von mir hin,
Ich verändre nicht den Sinn.
Du, o Jesu, mußt allein
Ewig meine Freude sein.

6

Keinem andren sag ich zu,
Daß ich ihm mein Herz auftu.
Dich alleine laß ich ein,
Dich alleine nenn ich mein.

7

Dich alleine, Gottes Sohn,
Heiß ich meine Kron und Lohn.
Du für mich verwundtes Lamm,
Bist allein mein Bräutigam.

8

O so komm denn, süßes Herz,
Und vermindre meinen Schmerz,
Denn ich schrei doch für und für,
Jesu, Jesu, komm zu mir.

9

Nun ich warte mit Geduld,
Bitte nur um diese Huld,
Daß du mir in Todespein
Wollst ein süßer Jesus sein.

IV

Sie sucht den Lieben ihrer Seelen

1

O, wo bist du mein Leben,
Dem ich mich ergeben,
Deß ich will ganz leibeigen sein?
Wo soll ich mich wenden,
Mein Suchen zu enden?
Wo soll ich dich finden,
Erleuchter der Blinden,
Und spüren deinen Glanz und Schein?

2

Sag mir an, wo du weidest,
Die Mittagbrunst leidest,
Auf daß ich eilends zu dir geh,
Daß ich mit dir weide,
Mein einzige Freude,
Daß ich dich umfasse
Und nimmermehr lasse,
In Lieb und Leid steif bei dir steh.

3

Soll ich unter der Linden,
Mein Herze, dich finden,
Soll ich zum Apfelbaume gehn?
Die Büsch und die Wälder,
Die Wiesen und Felder
Mit sehnlichem Schnaufen
Durchsuchen, durchlaufen?
Soll ich mich geben auf die Höhn?

4

Sag mir, ob ich bei'n Flüssen
Soll deiner genießen,
Weil du der starke Liebstrom bist?
Sag, ob wir bei'n Flammen
Solln kommen zusammen,
Daß du mich durchglühest,
Mein Herze besiehest,
Obs lauter in dich schmelzt und fließt.

5

Nun ich will mich ausrüsten,
Durchwandern die Wüsten
Um dich, mein Turteltäubelein.
Ich will mich bemühen,
Sehr ferne zu ziehen,
Kein Ungemach achten,
Nur emsiglich trachten,
Wie daß ich möge bei dir sein.

6

Ja, ich will mich begeben,
Dir nach zu streben,
So lang ich Atem schöpfen kann.
Durch Dornen und Hecken,

Durch Stauden und Stecken,
In Höhlen und Grüften,
In Tälern und Klüften
Will ich mir machen eine Bahn.

7

O, begegne mir, Leben,
Dem ich mich ergeben,
Deß ich nunmehr ganz eigen bin!
Ach, ach, ich verschmachte,
Kein Labsal mehr achte,
Bis daß ich dich habe,
Du himmlischer Knabe,
Wo nicht, so nimm mein Leben hin.

8

O, du bist ja bei'n Schafen
Nicht etwan entschlafen
Und liegst in süßer Rast und Ruh.
O soll mirs gelingen,
Dich da zu umringen,
So will ich wohl wissen,
Inbrünstig zu küssen
Den Mund, dem ich jetzt rufe zu.

9

Wart, ich will auf die Höhen
Des Myrrhenbergs gehen,
Daß ich dich, Myrrhenbüschlein, find.
Und wenn ich dich funden,
Verwundt und gebunden,
So will ich dich legen,
Um deiner zu pflegen,
Wo meine beiden Brüste sind.

10

Oder liegst du im Grabe,
Weil ich noch nicht habe
Ein einzigs Wort gehört von dir?
Oder bist in der Krippen,
So rühre die Lippen,
Des Schalls mich gewähre,
Den ich so begehre,
O Jesu mein, gezweig es mir.

11

Ach mir Armen, Elenden,
An aller Welt Enden
Hab ich gesucht und find dich nicht!
Doch will ich zugehen
Auch noch nicht abstehen,
Jerusalem sehen,
Da wirds wohl geschehen,
Daß ich erblick dein Angesicht.

12

Ich will sprechen: Jungfrauen,
Sagt mir im Vertrauen,
Wo mein Geliebter sich aufhält?
Sagt mir doch geschwinde,
Wo ich ihn nun finde?
So werden sie eben
Die Antwort mir geben:
Auf Zion hat er sein Gezelt.

13

Alsdann will ich, mein Leben,
Dich hurtig umgeben
Und in meins Herzens Kammer führn.
Da will ich dich küssen

Und deiner genießen,
In seligen Freuden
Mich laben und weiden,
Bis du mich krönen wirst und ziern.

V

Sie beklagt sich gegen ihren Geliebten wegen seines langen Außenbleibens

1

O Jesu, du verliebter Gott,
Wie läßt du mich so lang im Tod!
Ich seufz und sehne mich nach dir,
Wann kommst du denn einmal zu mir!

2

Die Kräfte alle nehmen ab,
Ich bin verschmacht und eil ins Grab.
Ich geh herum fast wie ein Schein
Vor übergroßer Liebespein.

3

Die ganze Welt wird sonst bespreit
Mit Phöbus Strahlen und erfreut.
Der Himmel träufelt seinen Tau
Auf manchen Acker, Feld und Au.

4

Der Regen tränkt das dürre Land
Und fället auch auf Staub und Sand.
Die kühlen Lüftlein sind gemein,
Wenn heiße Sommertage sein.

5

Nur ich muß ohne Labsal sein
In meiner großen Liebespein.
Ich lieb und werde nicht gewährt,
Was mein verliebtes Herz begehrt.

6

Wie manchen Tag und manche Nacht
Hab ich mit Seufzen zugebracht!
Wie lange wart ich schon, mein Licht,
Auf dich, du aber kommst noch nicht.

7

Ach, bleib doch nicht so lang und fern,
Mein Phöbus und mein Morgenstern.
Komm, strahl in meine Seel hinein,
Daß ich kann wieder fröhlich sein.

8

Du meines Herzens Silbertau,
Komm, fall herab auf dessen Au.
Du güldner Regen, meine Lust,
Komm, überschwemme diese Brust.

9

Ach, komm doch eilends und geschwind,
Mein Lüftlein und mein kühler Wind.
Komm und erquicke mich mit dir,
Denn ich bin matt und sterbe schier.

10

Nu, nu, du läßt mich noch allein!
Und muß es ja gestorben sein,
So wisse, daß ich dich, gleich viel,
Ob ich schon tot bin, lieben will.

VI

Sie ruft ihm mit vielen süßen Namen

1

Jesu, meine Freud und Lust,
Jesu, meine Speis und Kost,
Jesu, meine Süßigkeit,
Jesu, Trost in allem Leid,
Jesu, meiner Seelen Sonne,
Jesu, meines Geistes Wonne.

2

Jesu, meine Kron und Lohn,
Jesu, mein Genadenthron,
Jesu, meine Zuversicht,
Jesu, meiner Augen Licht,
Jesu, Leitstern meiner Sinnen,
Den sie müssen liebgewinnen.

3

Jesu, süßer Nektarfluß,
Jesu, trauter Liebeskuß,
Meine Hoffnung und mein Teil,
Mein Erretter und mein Heil,
Jesu, meine Himmelspforte,
Meine Hilf an allem Orte.

4

Mein Beschützer vor dem Feind,
Meine Zuflucht und mein Freund,
Meine Burg und mein Palast,
Mein geliebter Wirt und Gast,
Meine kühle Sommerhöhle,
Meine Liebe, meine Seele.

5

Jesu, meine Seligkeit
Und mein Glück in dieser Zeit,
Mein gewünschtes Paradeis,
Meines Sieges Ruhm und Preis,
Mein Triumph, mein Freudenleben,
Meine Krönung, mein Erheben.

6

Jesu, meiner Werke Glanz
Und mein güldner Lorbeerkranz,
Jesu, meine Herrlichkeit
Und mein ewges Hochzeitskleid,
Jesu, Brunnquell aller Freuden,
Jesu, Arznei meiner Leiden.

7

Jesu, meines Todes Tod,
Mein Erlöser und mein Gott,
Mein erfreulich Auferstehn
Und frohlockend Himmelgehn,
Jesu, ungeschaffne Güte,
Jesu, komm in mein Gemüte.

VII

Sie ruft ihm abermals sehr begierlich

1

Komm mein Herze, komm mein Schatz,
Komm mein grüner Freudenplatz.
Komm mein Leitstern, komm mein Licht,
Komm mein liebstes Angesicht,
Komm mein Leben, meine Seele,
Komm mein wahres Balsamöle.

2

Komm mein Manna, komm mein Trank,
Komm mein lieblichster Geklang.
Komm mein Arznei für den Fluch,
Komm mein edeler Geruch,
Komm mein Röslein, meine Blume,
Komm mein Garten voller Ruhme.

3

Komm mein König, komm mein Held,
Komm mein Himmel, meine Welt.
Komm mein Bräutgam, komm mein Kuß,
Komm mein Heil und güldner Fluß,
Komm mein Hirte, meine Weide,
Komm mein Jesus, meine Freude.

VIII

Sie hält ihn für ihr Kleinod

1

O du Kleinod meiner Sinnen,
Schönste Perle, feinstes Gold.
Jesu, dem ich herzlich hold,
Den ich suche zu gewinnen,
Soll es denn noch lange währen,
Daß ich deiner muß entbehren?

2

Tausendmal hab ich mit Tränen
Laut geschrieen und geruft.
Tausendmal wird in der Luft
Noch gehört mein kläglich Sehnen.
Jesu, Kleinod meiner Sinnen,
Wanne werd ich dich gewinnen!

3

Liegst du denn so tief vergraben,
Schönste Perle, feinstes Gold,
Daß mein Herz, dem du doch hold,
Dich so lange nicht kann haben?
O du Kleinod meiner Sinnen,
Laß dich doch einmal gewinnen!

4

Alle Schätze dieser Erden
Und was köstlich wird geacht,
Ja auch gar des Himmels Pracht
Laß ich andren gerne werden,
Wenn ich dich nur kann gewinnen,
Jesu, Kleinod meiner Sinnen.

5

Ei, so gib mir doch die Kräfte,
Schönste Perle, feinstes Gold,
Daß ich, wie ich längst gewollt,
Meinem Herzen dich einhefte,
Daß du ewig seist darinnen
Und verzückest meine Sinnen.

IX

Sie verschmäht die Welt
und wendet sich zu ihrem Jesu

1

Fahr hin, du schnöde Welt,
Mit deinem Gut und Geld.
Fahr hin mit deinem Prangen
Und den geschminkten Wangen,

Du wirst mit deinen Tücken
Mich nun nicht mehr berücken:
Jesus Christus soll allein
Meiner Seelen Vorbild sein.

2

Du zeigst mir deine Pracht,
Dein Reichtum, deine Macht
Und deiner Schönheit Rosen,
Daß ich sie lieb soll kosen.
Ach nein, es ist nur Heue
Und stäubet hin wie Spreue:
Jesus Christus soll allein
Meiner Seelen Schönster sein.

3

Dein Ruhm ist wie ein Schaum
Und deine Pracht ein Traum,
Und deine Herrlichkeiten
Verbleichen mit den Zeiten.
Fahr hin, ich mag nicht haben,
Was nur kann zeitlich laben:
Jesus Christus soll allein
Meiner Seelen Liebster sein.

4

Wer dir zu viel getraut,
Hat auf den Sand gebaut.
Wer dir sich hat ergeben,
Verdirbt mit Leib und Leben.
Drum will ich dich verlassen
Und nimmermehr umfassen:
Jesus Christus soll allein
Meiner Seele Bräutgam sein.

5

Ich schätze deine Lust
So hoch als Kot und Wust.
Und alle deine Freude
Vergleich ich Traurn und Leide.
Drum will ich auch nicht lieben,
Was mich nur kann betrüben:
Jesus Christus soll allein
Ewig meine Liebe sein.

X

Sie verspricht sich, ihn bis in den Tod zu lieben

1

Ich will dich lieben, meine Stärke,
Ich will dich lieben, meine Zier,
Ich will dich lieben mit dem Werke
Und immerwährender Begier.
Ich will dich lieben, schönstes Licht,
Bis mir das Herze bricht.

2

Ich will dich lieben, o mein Leben,
Als meinen allerbesten Freund,
Ich will dich lieben und erheben,
Solange mich dein Glanz bescheint.
Ich will dich lieben, Gottes Lamm,
Als meinen Bräutigam.

3

Ach, daß ich dich so spät erkennet,
Du hochgelobte Schönheit du!
Und dich nicht eher mein genennet,
Du höchstes Gut und wahre Ruh!
Es ist mir leid und bin betrübt,
Daß ich so spät geliebt.

4

Ich lief verirrt und war verblendet,
Ich suchte dich und fand dich nicht,
Ich hatte mich von dir gewendet
Und liebte das geschaffne Licht.
Nun aber ists durch dich geschehn,
Daß ich dich hab ersehn.

5

Ich danke dir, du wahre Sonne,
Daß mir dein Glanz hat Licht gebracht,
Ich danke dir, du Himmelswonne,
Daß du mich froh und frei gemacht.
Ich danke dir, du güldner Mund,
Daß du mich machst gesund.

6

Erhalte mich auf deinen Stegen
Und laß mich nicht mehr irre gehn,
Laß meinen Fuß in deinen Wegen
Nicht straucheln oder stille stehn.
Erleucht mir Leib und Seele ganz,
Du starker Himmelsglanz.

7

Gib meinen Augen süße Tränen,
Gib meinem Herzen keusche Brunst,
Laß meine Seele sich gewöhnen,
Zu üben in der Liebe Kunst.
Laß meinen Sinn, Geist und Verstand
Stets sein zu dir gewandt.

8

Ich will dich lieben, meine Krone,
Ich will dich lieben, meinen Gott,
Ich will dich lieben ohne Lohne

Auch in der allergrößten Not.
Ich will dich lieben, schönstes Licht,
Bis mir das Herze bricht.

XI
Sie verlangt ihn bei Aufgang der Sonnen

1

Die Sonne kommt heran
In unsern Himmelsplan!
Ich seh schon ihre Strahlen
Auf allen Höhen prahlen.
Wo bleibt denn meine Sonne,
Mein allerliebstes Licht?
Mein Jesus, meine Wonne,
Daß ich ihn sehe nicht.

2

Was hilft mich Sonn und Tag,
Wenn ich nicht sehen mag
In meines Leibes Höhle
Die Sonne meiner Seele?
Mein Himmel bleibt doch trübe,
Wenn das wahrhafte Licht
Der Sonnen, die ich liebe,
In ihm nicht auch anbricht.

3

Wie fröhlich würd ich sein,
Wenn der geliebte Schein
Nach so viel dunkler Nächte
Mir meinen Tag herbrächte!
Nun aber muß ich leben
Wie einer, dem sein Licht,
Das ihm soll Freude geben,
Noch fehlet und gebricht.

4

Ei, brich doch auch herein,
Mein liebster Sonnenschein!
Vertreibe meinem Herzen
Die Finsternis und Schmerzen.
Laß deine güldnen Strahlen
Mich deine ganze Welt
Erfreun und schöne malen:
Komm, komm, du Himmelsheld.

XII

Sie fragt bei den Kreaturen nach ihrem Allerliebsten

1

Wo ist der Schönste, den ich liebe?
Wo ist mein Seelenbräutigam?
Wo ist mein Hirt und auch mein Lamm,
Um den ich mich so sehr betrübe?
Sagt an, ihr Wiesen und ihr Matten,
Ob ich bei euch ihn finden soll,
Daß ich mich unter seinem Schatten
Kann laben und erfrischen wohl.

2

Sagt an, ihr Lilien und Narzissen,
Wo ist das zarte Lilienkind?
Ihr Rosen, saget mir geschwind,
Ob ich ihn kann bei euch genießen?
Ihr Hyazinthen und Violen,
Ihr Blumen alle mannigfalt,
Sagt, ob ich ihn bei euch soll holen,
Damit er mich erquicke bald?

3

Wo ist mein Brunn, ihr kühlen Brünne?
Ihr Bäche, wo ist meine Bach?
Mein Ursprung, dem ich gehe nach?
Mein Quell, auf den ich immer sinne?
Wo ist mein Lustwald, o ihr Wälder?
Ihr Ebenen, wo ist mein Plan?
Wo ist mein grünes Feld, ihr Felder?
Ach, zeigt mir doch zu ihm die Bahn!

4

Wo ist mein Täublein, ihr Gefieder?
Wo ist mein treuer Pelikan,
Der mich lebendig machen kann?
Ach, daß ich ihn doch finde wieder!
Ihr Berge, wo ist meine Höhe?
Ihr Täler, sagt, wo ist mein Tal?
Schaut, wie ich hin und wieder gehe
Und ihn gesucht hab überall!

5

Wo ist mein Leitstern, meine Sonne,
Mein Mond und ganzes Firmament?
Wo ist mein Anfang und mein End?
Wo ist mein Jubel, meine Wonne?
Wo ist mein Tod und auch mein Leben?
Mein Himmel und mein Paradeis?
Mein Herz, dem ich mich so ergeben,
Daß ich von keinem andern weiß?

6

Ach Gott, wo soll ich weiter fragen?
Er ist bei keiner Kreatur.
Wer führt mich über die Natur?
Wer schafft ein Ende meinem Klagen?

Ich muß mich über alles schwingen,
Muß mich erheben über mich:
Dann hoff ich, wird mirs wohl gelingen,
Daß ich, o Jesu, finde dich.

XIII

Sie sehnt sich
nach der geistlichen Geburt Jesu Christi
und bittet, daß solche
in ihrem Herzen geschehen möge

1

Geh auf, meins Herzens Morgenstern,
Und werde mir zur Sonne;
Geh auf und sei nunmehr nicht fern,
Du wahre Seelenwonne.
Erleuchte mich
Ganz inniglich,
Daß ich in deinem Lichte
Noch diesen Tag
Beschauen mag
Dein liebstes Angesichte.

2

Ich wünsche nichts als dich zu sehn,
Hab auch sonst kein Verlangen;
Ach, ach, wann wird es doch geschehn,
Daß ich dich werd umfangen!
Du bist das Licht,
Das mein Gesicht
Alleine kann berücken.
Du bist der Strahl,
Der allzumal
Mein Herze kann erquicken.

3

Du bist der Glanz der Herrlichkeit,
Du gibst der Welt das Leben;
Dein Anblick macht noch in der Zeit
Mich in den Himmel schweben.
Dein Freudenschein
Macht meine Pein
Mir über Zucker süße.
Deins Geistes Gruß,
Deins Mundes Kuß
Macht, daß ich ganz zerfließe.

4

Wo bist du, schönster Bräutigam,
O auserkorner Knabe?
Wo bist du, süßes Gottes Lamm,
Daß ich mit dir mich labe?
Komm doch geschwind,
Du Jungfraun Kind,
Komm, komm, eh ich vergehe.
Mein Geist und Sinn,
Der fällt schon hin,
Schau, wie so schlecht ich stehe!

5

Der Leib wird matt, die Seel ist schwach,
Die Augen stehn voll Tränen;
Der Mund verblaßt, ruft ach und ach,
Das Herz ist voller Sehnen.
O Jesu mein,
Der du allein
Mich herzlichst kannst erquicken,
Verzeuch doch nicht,
Mit deinem Licht
Mich gnädig anzublicken.

XIV
Sie bereitet sich zu seiner Geburt

1
Streuet mit Palmen, ihr Schäfer und Hirten,
Bereitet und schmücket aufs schönste die Bahn.
Traget zusammen Oliven und Myrten,
Denn Jesus, der ewige Friedfürst, kommt an.

2
Lasset uns munter sein, warten und wachen,
Es schlafe ja keiner vor Trägheit nicht ein.
Lasset uns alles aufs herrlichste machen,
Gewißlich er kann nun nicht ferne mehr sein.

3
Schmücket die Lampen und macht sie recht lichte,
Eröffnet zu euerem Herzen die Tür.
Denket auf allerlei schöne Gedichte
Und tretet mit Freuden und Jubel herfür.

4
Jesu, du Hoffnung der heilig Verliebten,
Du Sonne der Ewigkeit, brich doch herfür.
Tröstlicher Bräutgam der geistlich Betrübten,
Komm, komm doch, wir sehnen uns herzlich nach dir.

5
Werde geboren, du Heiland der Erden,
Du Herrscher des Himmels, du Schöpfer der Welt.
Sonsten kann keiner den Banden entwerden,
Mit welchen der Feind uns bestrickt und gefällt.

6
Träufelt, ihr Himmel, und gebt uns im Regen
Den Herrn der Gerechtigkeit, unsere Zier.
Öffne dich, Erde, mit neuem Bewegen
Und bring uns den Heiland der Menschen herfür.

7

Eia mein König, Erlöser und Leben,
Mein Schutzherr, mein Bräutigam und alle mein Gut!
Komm nur, ich will mich dir ewig ergeben
Und opfern mein Herze mit Geist und mit Blut.

XV

Sie preist die jungfräuliche Mutter ihres Bräutigams

1

Reinste Jungfrau, die vor allen
Gott dem Vater wohlgefallen,
Deren Keuschheit seinen Sohn
Hat gelockt vons Himmels Thron,
Reinste Jungfrau, dir zu Ehren,
Laß ich meine Stimme hören.

2

Dich, Maria will ich preisen,
Dir, o Jungfrau, Dienst erweisen,
Dich, du schönster Morgenstern,
Will ich rühmen weit und fern.
Denn durch dich ist uns gegeben
Jesus, unser Heil und Leben.

3

Auserlesen wie die Sonne
Ist dein Glanz und deine Wonne,
Schöner wie der Mondenschein
Und die güldnen Sterne sein,
Schrecklich wie die Heeresspitzen,
Die vor Feinden uns beschützen.

4

Eine Burg, die stets verriegelt,
Und ein Brunn, den Gott versiegelt,

Und ein Turm von Helfenbein
Und ein Perlenkästelein.
Ein verschlossner Frühlingsgarten
Bist du, Jungfrau, schönster Arten.

5

Kommt, ihr Töchter und Jungfrauen,
Eine Königin zu schauen,
Die sich Gott hat selbst vertraut,
Seine Tochter, Mutter, Braut.
Schaut die Fürstin, die er liebet,
Der er gänzlich sich ergibet.

6

Schaut die wahre Bundeslade,
Das Gefäße voller Gnade,
Schaut des Höchsten güldnes Haus,
Da er gehet ein und aus.
Schaut des Noe Wunderkasten,
Da die Taube (Gott) kann rasten.

7

Schaut die schöne Rötin prangen,
Wie sie kommt daher gegangen!
Wie sie uns der Sonnenglanz
Ansagt und gebieret ganz!
Schauet, wie sie kann das Leben
Und das Licht der Erde geben.

8

O du güldner Himmelswagen,
Der uns Jesum bringt getragen,
Thron des wahren Salomons,
Fell des Helden Gedeons!
Faß voll Gotts und seiner Güte,
Seine Wohnung, seine Hütte.

9

Königin der Seraphinen,
Oberste der Cherubinen,
Herzogin der Märtyrer,
Fürstin aller Beichtiger,
Aller Heilgen und Jungfrauen,
Die dem Lamme sich vertrauen.

10

O Maria, voller Gnade,
Hilf, daß mir der Feind nicht schade.
Daß ich möge nach der Zeit
In der ewgen Seligkeit,
O du Krone der Jungfrauen,
Dich und deinen Sohn anschauen.

XVI

Sie heißt das Jesulein willkommen sein

1

Willkommen, edles Knäbelein,
Willkommen, liebes Kind.
Willkommen, süßes Jesulein,
Durch dich mein Leid verschwindt.
Du bist mein Heil und Seligkeit,
Du bringst mir tausend Freuden,
Du machst, daß ich in Ewigkeit
Von Gott bleib ungescheiden.

2

Du bist mir lieber, als die Welt
Und hundert Himmel sein,
Auf dich ist all mein Tun gestellt,
Du wertes Jesulein.

Dir will ich, was ich hab und bin,
Von Grund des Herzens schenken.
Auf dich soll mein Gemüt und Sinn
Ohn Unterlaß gedenken.

3

Ich bin ganz unaussprechlich froh,
Daß du gekommen bist,
Daß du, obzwar auf Heu und Stroh,
Wirst Mensch und Kind gegrüßt.
Ach, laß dein Zuckermündelein
Mein arme Seel erquicken
Und die verliebten Äugelein
Erfreulich auf mich blicken.

4

Wie herzlich sehn ich mich nach dir,
O freudenreiches Kind!
Verlaß die Kripp und komm zu mir,
Komm eilends, komm geschwind.
Ich will ein kleines Krippelein
Aus meinem Herzen machen,
Daß du darin, mein Jesulein,
Stets schlafen sollst und wachen.

XVII

Sie singt von der Größe seiner Liebe

1

Amor, das werte Jesulein,
Hat mich so sehr geliebet,
Daß es in alle Not und Pein
Sich willig für mich gibet.

Es kommt daher auf Erden
Und will für meine Sündenschuld,
Daß mir Gott wieder würde huld,
Ein ganzes Opfer werden.

2

Schau doch, es saß in seinem Thron
Von Ewigkeit gar eben
Und war, des höchsten Gottes Sohn,
Mit Majestät umgeben.
Nun liegts in einer Krippen
Und muß von einem Mägdelein
Gehoben und getragen sein,
Getröst mit ihren Lippen.

3

Dort war es Gotte gleich an Macht,
Konnt alle Geister zwingen.
Nichts wird in Ewigkeit erdacht,
Das ihm konnt Unruh bringen.
Nun ists ein Lämmlein worden,
Damit es meiner Seelen Feind,
Der mich zu sich zu reißen meint,
Nur soll für mich ermorden.

4

O Gott, wie groß ist doch die Brunst,
Mit der mich Jesus liebet!
Von Ewigkeit hat solche Gunst
Noch niemand so geübet,
Er ists allein gewesen.
Drum, Jesu, meiner Seelen Zier,
Du kannst auch einig helfen mir,
Durch dich muß ich genesen.

XVIII
Sie preist die Holdseligkeit des Jesuleins

1

O allerliebstes Knäbelein,
Du nimmst die Herzen ein.
O Jesu, du Wonne,
So klar als die Sonne,
O Kind, neugeboren,
Vor tausend erkoren,
Du nimmst die Herzen ein.

2

Wenn ich beschau dein Äugelein,
Nenn ich sie Sternelein,
Die tugendlich prahlen
Und wonniglich strahlen,
Mit jeglichen Blicken
Die Herzen berücken,
Wen sie berührn, ist dein.

3

Dein Mündlein ist ein Gärtelein,
Wie blühen doch so fein
Die Röslein darinne!
Daraus ich gewinne,
Wenn du sie bewegest
Und gegen mir regest,
Den besten Rosenwein.

4

Nun nimm die Welt nur gänzlich hin,
Dich hält, statt ihr, mein Sinn.
Du kannst mich ergötzen,
Bist würdig zu schätzen,
Verzückst mein Gemüte,
Fängst Herz und Geblüte
Und alles was ich bin.

5

O Jesu, nun soll dir allein
Mein Herz ergeben sein.
Du magst es verbrennen,
Dein eigenes nennen,
Huldseliger Knabe,
Mit dem ich mich labe,
Du nimmst die Herzen ein.

XIX
Sie liebkost das Jesulein

1

Du süßer Knabe du, wie herzlich lieb ich dich!
Wie hab ich dich so gern, wie hoch erfreust du mich!
Ach, laß mich doch gelangen,
Daß ich dich, wie ich will,
Mag herzen und umfangen
Ohn alle Maß und Ziel.

2

Du bist mein Augentrost, mein ewiger Gewinn,
Mein bester Aufenthalt, wo ich am liebsten bin.
Bist englisch an Geberden,
Huldselig von Gesicht,
Das schönste Kind auf Erden,
Dem nie sein Glanz gebricht.

3

O allerliebstes Kind, ach, drücke doch steif ein
In meinen bleichen Mund die süßen Lippelein!
Du mußt mir Atem geben,
Mein Rosenmündelein,
Mein Seelichen, mein Leben,
Mein liebstes Lämmelein.

4

Du bist ja voller Huld und voller Lieblichkeit,
Du bist die Liebe selbst und selbst die Freundlichkeit.
O Knabe voller Güte,
Du bist mein Brüderlein,
Du tröstest mein Gemüte,
Du schönstes Engelein.

5

Bleib hier mein Himmelreich und alle meine Lust,
Ich lasse dich nunmehr nicht weg von meiner Brust.
Du mußt mein eigen bleiben
Und mir die lange Zeit
Verkürzen und vertreiben
Mit deiner Lieblichkeit.

XX

Die Psyche opfert dem Jesulein

1

Sei gegrüßet und geküsset,
Allerliebstes Jesulein.
Mit Vertrauen dich zu schauen,
Komm ich in den Stall herein.

2

Große Wonne, liebste Sonne,
Hat dein Aufgang mir gemacht.
Neues Leben hat mir geben
Dein Erscheinen in der Nacht.

3

O du schöner Nazarener,
Sei gelobet und gepreist
Für die Güte, die's Gemüte
Deiner Gottheit mir beweist.

4

Dir mein Leben zu ergeben,
Komm ich jetzt nach Schuld und Pflicht.
Edler Knabe, nimm die Gabe
Und verschmäh mein Armut nicht.

5

Meine Seele mit der Höhle,
Ihrem Leibe, geb ich dir.
Mein Gemüte, mein Geblüte
Soll dir dienen für und für.

6

Gold der Liebe, die ich übe,
Weihrauch der Andächtigkeit,
Myrrhn der Zähren, die stets währen,
Opfr ich dir mit Innigkeit.

7

Nimm mein Herze, güldne Kerze,
Und entzünd es heiliglich.
Mach es reine wie das deine
Und zerschmelz es ganz in dich.

8

Gib mir Gaben, die mich laben,
Die mich stärken in der Zeit,
Daß ich bleibe deinem Leibe
Eingepfropft in Ewigkeit.

9

Alsdann werd ich hoch erfreulich
Deine Klarheit schauen an.
Für ihr Grünen sie bedienen,
Ehrn und rühmen, wie ich kann.

XXI
Sie grüßt das Jesulein mit schönen Ehrentiteln

1

Sei gegrüßt, mein Gnadenthron,
Hochgeborner Gottessohn;
Sei gegrüßt, du Neugeborner,
Meiner Seelen Auserkorner.

2

Sei gegrüßt, geliebtes Kind,
Das mein Herz mit Gott verbindt;
Sei gegrüßt, du hulder Knabe,
Den ich mir erwählet habe.

3

Sei gegrüßt, du wahres Licht,
Stern, dem nie sein Glanz gebricht;
Sei gegrüßt, du schönste Sonne,
Meines Herzens Freud und Wonne.

4

Sei gegrüßt, du edles Bild,
Über alle zart und mild;
Sei gegrüßt, du Tausendschöner,
Lilienweißer Nazarener.

5

Sei gegrüßt, du Himmelsbrot,
Das uns speist und nährt in Not;
Sei gegrüßt, du Lebensquelle,
Die uns tränkt auf jeder Stelle.

6

Sei gegrüßt, du lieber Gast,
Der auf sich nimmt meine Last;
Sei gegrüßt, du Balsamöle,
Arznei meiner kranken Seele.

63

7

Sei gegrüßt, du zartes Lamm,
Hochgewünschter Bräutigam;
Sei gegrüßt, mein Heil und Leben,
Der du kommst, dich mir zu geben.

8

Sei, o Jesu, sei gegrüßt
Und von Herzensgrund geküßt;
Denn du bist es, der vor allen
Mir soll ewig wohlgefallen.

XXII
Sie begehrt das Jesulein zu küssen

1

Du, meiner Seelen güldne Zier,
Du Freude, die dein Vater mir
Gesandt von seinem höchsten Thron,
Du Gottes und Marien Sohn,
Ich kann es ja nicht länger lassen,
Dich zu umhalsen und umfassen.

2

Ich nahe mich zu dir mit Fleiß,
Mein Himmel und mein Paradeis.
Ich sehne mich von Herzensgrund,
Dich zu berührn mit meinem Mund.
Ich neige mich zu deiner Krippen
Und küsse dich mit meinen Lippen.

3

Komm her, mein liebstes Brüderlein,
Ohn dich kann ich nicht länger sein.
Komm, komm mein Leben und mein Licht,
Ersetze mir, was mir gebricht.
Komm, komm, mit deiner Äuglein Strahlen
Mein finstres Herze hell zu malen.

4

Du bist der rechte Sonnenschein,
Der meine Seel macht lichte sein.
Du bist die Wonne, welche mich
Erfreuen kann ganz inniglich.
Nun bleib ich gerne hier auf Erden,
Du machst sie mir zum Himmel werden.

5

Dies aber bitt ich nur allein,
O allerliebstes Jesulein,
Daß du nicht weichen wollst von mir,
Damit dich möge für und für
Mein Herze schmecken, fühln und küssen
Und deiner, weil es lebt, genießen.

XXIII

Sie jauchzt über der Geburt Christi

1

Jetzt wird die Welt recht neugeborn,
Jetzt ist die Maienzeit.
Jetzt tauet auf, was war erfrorn
Und durch den Fall verschneit.
Jetzt sausen die Winde
Erquicklich und linde,
Jetzt singen die Lüfte,
Jetzt tönen die Grüfte,
Jetzt hüpft und springet Berg und Tal.

2

Jetzt ist der Himmel aufgetan,
Jetzt hat er wahres Licht.
Jetzt schauet uns Gott wieder an
Mit gnädgem Angesicht.

Jetzt scheinet die Sonne
Der ewigen Wonne,
Jetzt lachen die Felder,
Jetzt jauchzen die Wälder,
Jetzt ist man voller Fröhlichkeit.

3

Jetzt grünt der wahre Lebensbaum,
Jetzt blüht die Lilienblum,
Jetzt kriegt ein jeder Platz und Raum
Zu seinem Eigentum.
Jetzt wandelt beim Leue
Das Lamm ohne Scheue,
Jetzt sind wir versöhnet
Und wieder belehnet,
Jetzt ist der Vater unser Freund.

4

Jetzt ist die Welt voll Herrlichkeit
Und voller Ruhm und Preis,
Jetzt ist die wahre güldne Zeit
Wie vor im Paradeis.
Drum lasset uns singen
Mit Jauchzen und Klingen,
Frohlocken und freuen,
Ertönen und schreien,
Gott in der Höh sei Lob und Ehr.

5

Jesu, du Heiland aller Welt,
Dir dank ich Tag und Nacht,
Daß du dich hast zu uns gesellt
Und diesen Jubel bracht.
Du hast uns befreiet,
Die Erde verneuet,

Den Himmel gesenket,
Dich selbsten geschenket,
Dir, Jesu, sei Lob, Ehr und Preis.

XXIV

Sie singt von dem Nutzen seiner Geburt

1

Ein neues Kindelein
Ist uns heut geboren,
Hat uns wieder bracht den Schein,
Welchen wir verloren.
Singet diesem Kindelein,
Lieblichs Jesulein,
Laß mich ganz dein eigen sein,
Lieblichs Jesulein.

2

Das liebe Kindelein
Ist auf Erden kommen,
Weil der Menschen Not und Pein
Überhand genommen.
Singet diesem Kindelein,
Lieblichs Jesulein,
Laß mich ganz dein eigen sein,
Lieblichs Jesulein.

3

Es bringt uns alls mit sich,
Was wir wünschen können,
Heilt den alten Schlangenstich
Und die kranke Sinnen.
Singet diesem Kindelein,
Lieblichs Jesulein,
Laß mich ganz dein eigen sein,
Lieblichs Jesulein.

4

Es macht uns Gott zum Freund,
Will uns von dem Bösen,
Welcher uns zu stürzen meint,
Ewiglich erlösen.
Singet diesem Kindelein,
Lieblichs Jesulein,
Laß mich ganz dein eigen sein,
Lieblichs Jesulein.

XXV

Sie ist voll Freuden in Betrachtung der großen Güter,
die seine Geburt mit sich bringt

1

Das neugeborne Kindelein,
Das allerliebste Jesulein,
Will unser treuer Heiland sein
Und uns befrein von aller Pein.
Tönt und klingt,
Jauchzt und singt,
Seid voll Freuden,
Denn es endt sich unser Leiden.

2

Es will uns reißen aus dem Spott,
Aus aller Krankheit, Angst und Not,
Erretten von dem ewgen Tod,
Versöhnen mit dem höchsten Gott.
Tönt und klingt,
Jauchzt und singt,
Seid voll Freuden,
Denn es endt sich unser Leiden.

3

Es bringt uns alle Seligkeit,
Die Gott, sein Vater, hat bereit.
Es tränkt uns schon in dieser Zeit
Mit seines Herzens Süßigkeit.
Tönt und klingt,
Jauchzt und singt,
Seid voll Freuden,
Denn es endt sich unser Leiden.

4

Es will uns wie die Engel ziern
Und in sein Himmelreich einführn,
Daß wir mit ihm solln triumphiern
Und unaufhörlich jubiliern.
Tönt und klingt,
Jauchzt und singt,
Seid voll Freuden,
Denn es endt sich unser Leiden.

XXVI
Sie will das Jesulein als den wahren Morgenstern in dem Himmel ihres Herzens haben

1

Morgenstern der finstern Nacht,
Der die Welt voll Freuden macht,
Jesulein,
Komm herein,
Leucht in meines Herzens Schrein.

2

Schau, dein Himmel ist in mir,
Er begehrt dich, seine Zier.
Säum dich nicht,
O mein Licht,
Komm, komm, eh der Tag anbricht.

3

Deines Glanzes Herrlichkeit
Übertrifft die Sonne weit.
Du allein,
Jesulein,
Bist, was tausend Sonnen sein.

4

Du erleuchtest alles gar,
Was jetzt ist und kommt und war.
Voller Pracht
Wird die Nacht,
Weil dein Glanz sie angelacht.

5

Deinem freudenreichen Strahl
Wird gedienet überall.
Schönster Stern,
Weit und fern
Ehrt man dich wie Gott, den Herrn.

6

Ei nun, güldnes Seelenlicht,
Komm herein und säum dich nicht.
Komm herein,
Jesulein,
Leucht in meines Herzens Schrein.

XXVII
Sie ergibt sich dem Jesulein zu einem Diener

1

Kleiner Knabe, großer Gott,
Schönste Blume, weiß und rot,
Von Maria neugeboren,
Unter tausend auserkoren,

Allerliebstes Jesulein,
Laß mich deinen Diener sein.

2

Nimm mich an, verliebtes Kind,
Und befehle mir geschwind,
Rege deine süßen Lippen,
Rufe mich zu deiner Krippen.
Tu mir durch den hulden Mund,
Deinen liebsten Willen kund.

3

Ich verlasse nun die Welt
Und was mir an ihr gefällt.
Dir alleine will ich leben,
Dir mich gründlich untergeben.
Du alleine, Jesulein,
Sollst mein Herr und Obrer sein.

4

Dir soll meine Seel allzeit
Samt den Kräften sein bereit
Und mein Leib mit allen Sinnen
Soll nichts ohne dich beginnen.
Mein Gemüte soll auf dich
Denken jetzt und ewiglich.

5

Nimm mich an, o Jesulein,
Denn ich wünsche dein zu sein.
Dein verbleib ich, weil ich lebe,
Dein, wenn ich den Geist aufgebe.
Wer dir dient, du starker Held,
Der beherrscht die ganze Welt.

XXVIII

Sie vergleicht das Jesulein einem Blümelein

1

Ich weiß ein liebes Blümelein
Mit Gottes Tau begossen,
In einem jungfräulichen Schrein
Zur Winterszeit entsprossen.
Dies Blümelein heißt Jesulein,
Ewger Jugend, großer Tugend,
Schön und lieblich, reich und herrlich.
Menschenkind,
Wie selig ist, der dieses Blümlein findt!

2

Es hat so lieblichen Geruch,
Erquicket Leib und Seele,
Vertreibt die Gift, verjagt den Fluch
Und gibt ein heilsam Öle.
Es stillt den Schmerz
Und stärkt das Herz,
Bringt im Leide süße Freude,
Kann uns geben ewges Leben.
Menschenkind,
Wie selig ist, der dieses Blümlein findt!

3

Ich hab mir dieses Blümelein
Vor allen auserlesen.
Wills meinem Herzen pfropfen ein,
Auf daß ich kann genesen.
Ich wills allzeit in Lieb und Leid
Bei mir haben,
Mich zu laben
Und mit Freuden abzuscheiden.
Menschenkind,
Wie selig ist, der dieses Blümlein findt!

XXIX

Sie will das Jesulein als ein Blumensträußlein in ihrem Herzen haben

1

Du huldenreiches Jesulein,
Du Herzenströsterlein!
Wie soll ich mich genugsam freuen,
Daß ich dich sehe, meinen Maien!

2

Du bist das edle Sträußelein
Voll ewger Blümelein,
Das mir in unsrer Menschheit Orden
Durch eine Jungfrau sichtbar worden.

3

An dir ist auch zur Winterszeit
Die höchste Lieblichkeit,
Es darf mir schon nicht Frühling werden,
Wenn ich nur dich hab auf der Erden.

4

Dies aber, Schönster, kränket mich,
Daß man verlässet dich!
Daß du mußt liegen auf dem Heue
Im Stall beim Vieh und seiner Streue.

5

Hier ist mein Herz, o Jesulein,
Ei, lege dich doch drein!
Ich rechne mirs zum ewgen Ruhme,
Wenn du in mir liegst, Jungfernblume.

6

Ei, allerliebstes Trösterlein,
Sei doch mein Sträußelein!
Es kann mein Herz kein andrer Maien
Als du, mein Jesulein, erfreuen.

XXX

Sie weiß nicht, mit was sie die Schönheit
des Kindes Jesu vergleichen soll

1

Du allerschönstes Bild, wem soll ich dich vergleichen?
Den weißen Lilien? Dem bunten Tausendschön?
Dem Zuckerröselein? Ach nein, denn sie vergehn,
Verdorren und verbleichen.

2

Vielleichte soll ich dich die güldne Sonne nennen?
Den silberfarbnen Mond? Den schönen Morgenstern?
Vielleicht die Morgenröt? Ach nein, es fehlet fern:
Ich müßte dich verkennen.

3

Die Sonne borgt von dir ihr Licht und alle Strahlen,
Der Monde seinen Schein, die Sterne ihren Glanz,
Die Rötin ihre Zier, der Himmel muß sich ganz
Von deiner Schönheit malen.

4

Vielleichte gleichst du dich dem Blitz der Seraphinen?
Dem Thronen-Könige? Dem schönsten Engelein?
Dem Cherubiner-Fürst? Ach nein, es kann nicht sein,
Sie müssen dich bedienen.

5

Nun schau, ich finde nichts. Weil ichs doch an soll zeigen,
So sag ich klar und frei, daß du, o Jesu Christ,
Die ewge Schönheit selbst und unvergleichlich bist:
Drum ist es besser schweigen.

XXXI

Sie übergibt dem Jesulein ihr Herze

1

Ich komm zu dir, mein Jesulein,
Mit kindlichen Geberden,
Auf daß mein Herz von seiner Pein
Durch deines frei soll werden.
Nimm hin mein Herz, o Jesulein,
Mach es rein
Wie dein eignes Herzelein.

2

Es ist verdorrt und ohne Kraft,
Vom Reif fast gar verdorben.
Tränkt es nicht deiner Gottheit Saft,
So bleibt es ganz erstorben.
Nimm hin mein Herz, o Jesulein,
Flöß ihm ein
Deines süßen Herzens Wein.

3

Es seufzt und ächzet Tag und Nacht,
Daß es hat dich verloren,
Dich, der du es zu dir gemacht
Und vor der Welt erkoren.
Nimm hin mein Herz, o Jesulein,
Schließ es ein
In dein heilges Herzelein.

4

Es sehnet sich ganz inniglich,
Dir wieder einzuleiben
Und deinem Herzlein ewiglich
Ein treues Herz zu bleiben.
Drum nimm es hin, mein Jesulein,
Laß es sein
Eins mit deinem Herzelein.

XXXII
Sie grüßt die Äugelein Jesu

1

Seid gegrüßt, ihr ewgen Sonnen,
Die ihr nun im Fleisch entbronnen,
Seid gegrüßt, ihr Äugelein
Meines liebsten Jesulein.
Seid gegrüßt
Und geküßt
Jetzo und zu jeder Frist.

2

Ihr erleuchtet meine Seele
Samt des finstern Leibes Höhle,
Ihr entzündet mir mein Herz
Und benehmt ihm allen Schmerz.
Ihr allein,
Äugelein,
Macht mich voller Wonne sein.

3

Wie vergelt ich euren Strahlen,
Daß sie mich befrein von Qualen?
Wie vergelt ich diese Gunst,
Daß ihr mich bescheint umsonst?
Daß ihr mir
Kommt herfür
Und aus Liebe leuchtet hier?

4

Seid zu tausendmaln willkommen
Und frohlockend angenommen,
Seid willkomm'n, mein Freudenschein,
Ihr verliebten Äugelein:
Denn ihr seid
Mein Freud
Jetzo und in Ewigkeit.

XXXIII

Sie redet mit dem Widerhall von ihrem Jesulein

1

Wer wird mir, mein Herze, das Jesulein geben?
  Heiliges Leben.
Wo werd ichs berühren mit Armen und Lippen?
  Gehe zur Krippen!
Was Krippe? So liegt denn der König im Stalle?
  Ach ja, im Stalle!

2

Wie ist er so arm und so elend geboren?
  Weil du verloren.
Was hat ihn vom Himmel heruntergetrieben?
  Herzliches Lieben.
So bringt ihm die Liebe nur Peinen und Leiden?
  Peinen und Leiden.

3

Was soll er denn leiden und dulden auf Erden?
  Deine Beschwerden.
Was hofft er für Dank von so Eiteln und Bösen?
  Dich zu erlösen
Was wird er mit solcher Erlösung mir geben?
  Ewiges Leben.

4

Wie kann ich nun seiner Genade genießen?
  Fall ihm zu Füßen.
Wie mach ich es, daß ich ihn heute noch finde?
  Eile geschwinde.
Und wenn ich ihn habe, so bin ich genesen?
  Freilich genesen.

5

So werd ich ihn dürfen verträulich umfassen?
  Treulich umfassen.
Mit heiliger Liebe frei herzen und küssen?
  Herzen und küssen.
Mich über ihn immer und ewiglich freuen?
  Ewiglich freuen.

XXXIV

Sie hat gefunden, den ihre Seele liebt

1

Nun freut euch, ihr Hirten, mit mir,
Ich habe den Bräutigam hier.
O glückliche Stunden!
Nun hab ich gefunden,
Den ich gesucht mit steter Begier.

2

O Jesu, wie süße bist du!
Was bringst du für selige Ruh!
O Jesu, mein Leben,
Was soll ich dir geben?
Süßer als Honigseim bist du mir nu.

3

Du riechest so kräftig und gut,
Erquickest Leib, Leben und Blut.
Du klingest so schöne
Wie Engelgetöne,
Setzest in Jauchzen den traurigen Mut.

4

Wie herrlich beweisest du dich!
Wie innig erfreuest du mich!

O himmlische Sonne,
O ewige Wonne,
Alle mein Leben ergibet dir sich.

5

O bleibe doch immer bei mir,
Mein Himmel und göttliche Zier!
Ich will dich stets preisen
Mit herrlichen Weisen,
Singen und klingen und tönen von dir.

6

Nimm alles und jedes, was mein,
Zu deiner Belustigung ein.
Mein Herze soll werden
Dein Himmel auf Erden,
Jesu, wie kannst du dann anderst wo sein!

XXXV
Sie lobt die Vortrefflichkeit des Namens Jesu

1

Jesus ist der schönste Nam
Aller, die vom Himmel kamen,
Huldreich, prächtig, tugendsam,
Über aller Götter Namen.
Seiner großen Lieblichkeit
Gleicht kein Name weit und breit.

2

Jesus ist das Heil der Welt
Und ein Arznei für die Sünden.
Jesus ist ein starker Held,
Unsern Feind zu überwinden.
Wo nur Jesus wird gehört,
Ist der Teufel schon gestört.

3

Jesus ist der Weisen Stein,
Der Gesundheit gibt und Leben.
Jesus hilft von aller Pein,
Die den Menschen kann umgeben.
Lege Jesum nur aufs Herz,
So verliert sich aller Schmerz.

4

Jesus ist der süße Bronn,
Der die Seelen all erquicket.
Jesus ist die ewge Sonn,
Derer Strahl uns ganz verzücket.
Willst du froh und freudig sein,
Laß nur ihn zu dir hinein.

5

Jesus ist ein ewger Schatz
Und ein Abgrund alles Guten.
Jesus ist ein Freudenplatz
Voller süßer Himmelsfluten.
Jesus ist ein kühler Tau,
Der erfrischet Feld und Au.

6

Jesus ist der liebste Ton,
Den mir alle Welt kann singen.
Ja, ich bin im Himmel schon,
Wenn ich Jesum hör erklingen.
Jesus ist meins Herzens Freud
Und mein ewge Seligkeit.

7

Jesus ist mein Himmelbrot,
Das mir schmeckt, wie ich begehre.
Er erhält mich vor dem Tod,
Stärkt mich, daß ich ewig währe.

Zucker ist er mir im Mund,
Balsam, wenn ich bin verwundt.

8

Jesus ist der Lebensbaum,
Voller edlen Tugendfrüchte.
Wenn er findt im Herzen Raum,
Wird das Unkraut ganz zu nichte.
Alles Gift und Unheil weicht,
Was sein Schatten nur erreicht.

9

Jesus ist das höchste Gut
In dem Himmel und auf Erden.
Jesus Name macht mir Mut,
Daß ich nicht kann traurig werden.
Jesus Name soll allein
Mir der liebste Name sein.

XXXVI

Sie preist den Namen Jesu

1

Name voller Güte,
Komm in mein Gemüte.
Ausgegoßnes Öle,
Fließ in meine Seele.
Arznei aller Schmerzen,
Gib dich meinem Herzen,
Denn du bist alleine,
Jesu, den ich meine.

2

Himmel der Verliebten,
Leitstern der Betrübten,

Ungeschaffne Sonne,
Unerhörte Wonne,
Gib, daß deine Strahlen
Mich erfreun und malen,
Denn du bist alleine,
Name, den ich meine.

3

Name, schöner Name,
Der vom Himmel kame,
Name, zuckersüße,
Lauter Nektarflüsse,
Dem kein Balsam weichet
Und kein Ambra gleichet,
Name, du alleine
Bleibest, den ich meine.

4

Name, schön wie Rosen,
Wert, stets lieb zu kosen,
Name, wie Narzissen,
Würdig, stets zu küssen.
Name, zart wie Lilgen,
Die das Weh vertilgen,
Jesu, du alleine
Bleibest, den ich meine.

5

Name, den ich höre
Vor der Engel Chöre,
Der mir Jauchzen bringet
Und am schönsten klinget,
Der mich kann ergötzen
Und in Freude setzen,
Name, du alleine
Bleibest, den ich meine.

6

Name, den man preiset,
Dem man Dienst erweiset,
Dem die Welt sich beuget
Und der Himmel neiget.
Den, was drunten lebet,
Fürchtet und erhebet,
Jesu, du alleine
Bleibest, den ich meine.

7

Name, güldner Name,
Reicher Himmelssame,
Ewig wird mein Herze,
Schönste Königskerze,
Dich in sich behalten
Und mit dir veralten:
Denn du bist alleine,
Jesu, den ich meine.

XXXVII

Sie lobt seine Schönheit

1

Schönester, vor dem sich neiget
Alles, was die Schönheit ehrt,
Dem sich dienstbarlich erzeiget,
Was dem Himmel zugehört!
Deine Liebe reizet mich,
Abermal zu loben dich,
Daß ich muß die Saiten zwingen
Und von deiner Schönheit singen.

2

Du bist schöner als die Sonne,
Auserlesner als der Mon,
Freudenreicher als die Wonne
Um des Salomonis Thron.
Deines Angesichtes Glanz
Ist, der uns verzücket ganz,
Drum will ich die Saiten zwingen
Und von deiner Schönheit singen.

3

Nun dein Augen zu erheben,
Sag ich, daß sie Himmel sein,
Die mir Kraft und Einfluß geben
Zu der süßen Liebespein.
Sind Kristalle, die den Brand
Deiner Lieb in mich gewandt.
Sind zwei Meere, sind zwei Bronnen,
Sind zwei Spiegel und zwei Sonnen.

4

Mehr sinds Bücher, draus wir lernen
Lauter Zucht und Ehrbarkeit,
Sind meins Herzens Wirbelsterne,
Die ihm zeigen Ort und Zeit.
Sind zwei Feuerkügelein,
Die mir falln ins Herz hinein.
Anmut und die Charitinnen
Haben ihren Sitz darinnen.

5

Deine tausendschönen Wangen
Sind zwei edle Hügelein,
Da mans Morgenrot sieht prangen
Bei dem frühen Tagesschein.

Sind zwei Felder, deren Zier
Unverwelkt bleibt für und für.
Sind zwei Berge, da die Flammen
Und der Schnee bestehn beisammen.

6

Weiter sind sie wie ein Garten
Zu der besten Maienzeit,
Dessen Lilien schönster Arten
Mit viel Purpursaft bespreit.
Sind zwei Rosenhäufelein,
Die mit Milch begossen sein.
Sind zwei Polster, die vor allen
Meiner Seelen wohlgefallen.

7

Soll ich deine Haar abmalen,
Sag ich, daß dieselben sein
Güldne Faden, güldne Strahlen
Und ein güldnes Lustwäldlein.
Äste, voll von Honigseim
Und bewährtem güldnen Leim.
Netze, die mein Herze fangen,
Bande, die ich tu verlangen.

8

Deine Lippen sind Korallen,
Sind zwei Pfosten von Rubin,
Die den Göttern wohlgefallen.
Sind ein Tuch von Kermesin,
Sind zwei Sammetröselein,
Die mein bestes Labsal sein.
Sind zwei Kissen, drauf ich wollte,
Daß mein Mund stets liegen sollte.

9

Nektar fließt auf deiner Zungen
Und ein angenehme Luft
Kommt durch deinen Mund geklungen,
Wenn mir deine Stimme ruft.
Deine Zähne, die so schön
In der besten Ordnung stehn,
Sind den Perlen überlegen,
Die wir fein zu nennen pflegen.

10

Deine Stirne, der ich diene,
Ist ein Thron von Helfenbein,
Ist der Schönheit offne Bühne,
Da sie will geschauet sein.
Ist der Liebe Hofestadt,
Da sie ihr Gepränge hat.
Ist ein Schild voll güldner Strahlen,
Die kein Maler nach kann malen.

11

Alabaster wird geringe,
Wenn er deinem Halse naht,
Der so schön ist aller Dinge,
Daß er nicht seins Gleichen hat.
Marmelstein verliert den Preis
Und was sonst ist zart und weiß
Gegen deinen schönsten Händen,
Die ich lob an allen Enden.

12

Nun ein solcher, ihr Jungfrauen,
Ist, den meine Seele liebt,
Ohne was kein Mensch kann schauen
Und sein Kuß zu schmecken gibt.
Seines Geistes Süßigkeit,
Die er nach dem Lauf der Zeit

Seiner Psyche ein will gießen,
Kann kein Herz auf Erden wissen.

13

Und darum will ich mein Leben,
Meine Seel und was ich bin,
Ihm von Herzen übergeben.
Ihm soll stets mein Geist und Sinn
Unverrückt sein zugetan,
Soll ihn lieben, was er kann,
Bis ich seinen Mund, den süßen,
Unaufhörlich werde küssen.

XXXVIII
Sie verwundert sich über seiner Liebe

1

Liebster Jesu, was für Müh
Hast du nicht auf mich gewandt,
Eh ich dich je hatt erkannt!
Bist gelaufen spät und früh,
Zu erretten aus der Pein
Mich, dein armes Schäfelein.

2

Alle deine Herrlichkeit,
Deine Hochheit, deine Pracht,
Hast du schlecht ohn mich geacht.
Wolltest arm sein in der Zeit,
Gabst dich selbst in Hohn und Spott,
Mir zu helfen aus dem Kot.

3

Du verließest deinen Thron
Und das ewge Königreich,
Wurdest einem Schäfer gleich,
Daß du möchtest deinen Lohn,

Meine Seele, nehmen hin,
Dir zu einer Königin.

4

Über dieses ist bekannt,
Wie du durch den bittren Tod
Willigst übergabest Gott
Deine Seel zum Unterpfand,
Daß dir mein' als eine Braut
Würd in Ewigkeit vertraut.

5

Weil denn alles dies geschehen,
Süßer Jesu, und du mich
Mehr geliebet hast als dich,
Ei, so laß mich doch auch sehen
Diesen hochgewünschten Tag,
Da ich es genießen mag.

6

Laß mich in dein Reich hinein,
Laß mich hören deinen Gruß,
Laß mich schmecken deinen Kuß,
Laß mich, Liebster, ewig sein
Deine nächste Dienerin,
Deine Braut und Königin.

XXXIX

Sie begehrt verwundet zu sein von ihrem Geliebten

1

Jesu, du mächtiger Liebesgott,
   Nah dich zu mir,
Denn ich verschmachte fast bis in Tod
   Vor Liebesbegier.
Ergreif die Waffen und in Eil
Durchstich mein Herz mit deinem Pfeil,
   Verwunde mich.

2

Komm meine Sonne, mein Lebenslicht,
Mein Aufenthalt,
Komm und erwärme mich, daß ich nicht
Bleib ewig kalt.
Wirf deine Flammen in den Schrein
Meins halbgefrornen Herzens ein,
Entzünde mich.

3

O allersüßeste Seelenbrunst,
Durchglüh mich ganz
Und überform mich aus Gnad und Gunst
In deinen Glanz.
Blas an das Feuer ohn Verdruß,
Daß dir mein Herz mit schnellem Fluß
Vereinigt sei.

4

Dann will ich sagen, daß du mich hast
Erlöst vom Tod
Und als ein lieblicher Seelengast
Besucht in Not.
Dann will ich rühmen, daß du bist
Mein Bräutigam, der mich liebt und küßt
Und nicht verläßt.

XL

Sie jagt von sich den Cupido und entblößt ihr
Herze dem Jesulein

1

Cupido, blindes Kind,
Pack dich hinweg geschwind
Mit deinen Narrenpfeilen!
Du sollst mein Herz
Mit deinem Scherz
Nunmehr nicht übereilen.

2

Ich bin von Jesu wund
Und fühle noch zur Stund
Sein Feuer in mir brennen.
Drum geh nur fort
An deinen Ort,
Du wirst mich nicht errennen.

3

Ich hab dich längst verjagt
Und ernstlich abgesagt,
Ich sag dir nochmal abe.
Denn dich verdringt,
Der mich bezwingt,
Der Bethlemiter Knabe.

4

Ich hab inbrünstig schon
Gehuldigt seinem Thron
Und seine Pfeil geküsset.
Ich häng ihm an,
So viel ich kann,
Ob es dich zwar verdrießet.

5

Dein Pfeil macht ewgen Schmerz,
Zerstöret Sinn und Herz,
Stürzt Leib und Seel zur Höllen.
Sein Pfeil bringt Freud
In Ewigkeit,
Macht uns zu Gotts Gesellen.

6

Du bist verblendt und toll
Und böser Lüste voll,
Ein Herr der Herzensdiebe.
Mein Knab ist rein,
Keusch, sehend, fein,
Ein Gott der wahren Liebe.

7

Wie blind ist doch die Welt,
Die dir zu Fuße fällt
Und deine Waffen achtet!
Ach, daß sie doch
Nicht nach dem Joch
Des kleinen Jesu trachtet!

8

Gib her dein Giftgeschoß,
Mit dem du pochst so groß,
Die Pfeil und auch den Bogen.
Du bist schon hin
Aus Herz und Sinn,
Wann Jesus eingezogen.

9

Ich bleib nun gänzlich dein,
Huldseligs Jesulein,
Du hochgeliebter Knabe.
Ich liebe dich
Ganz inniglich
Beständig bis zum Grabe.

10

Komm in mein Herz und ruh,
Ich tu dirs auf und zu
Nach deinem liebsten Willen.
Du hasts verwundt,
Machs auch gesund,
Daß sich die Schmerzen stillen.

11

Laß aber deine Pein
Nie gänzlich von mir sein,
Laß deine Pfeile schneiden,
Auf daß mein Herz
Durch diesen Schmerz
Bleib von der Welt gescheiden.

XLI

Die Psyche betrachtet den blutigen Schweiß
Christi im Garten

1

O du allerliebster Gott,
Was wird mit dir werden?
Daß du liegst voll Angst und Not
Bebend auf der Erden,
Daß dein rosenfarbnes Blut
Durch dein Antlitz dringet
Und ein Engel Trost und Mut
Dir, dem Tröster, bringet?

2

Ach, du siehst die große Pein
Und das bittre Leiden,
Welches dir wird Mark und Bein,
Leib und Seel durchschneiden.
Siehst, daß aller Menschen Schuld
Und, was ich verbrochen,
Ernstlich und ohn einge Huld
Wird an dir gerochen.

3

Ach, wie sollte nicht dein Herz
Zittern, beben, zagen,
Weil es schon des Todes Schmerz
Fühlt und all die Plagen!
Weil auf dich alleine fällt
Alle Last der Sünden,
Mußt du freilich, Heil der Welt,
Große Pein empfinden!

4

Ach mein Heiland, könnt ich doch
Mindern solches Leiden

Und von diesem schweren Joch
Eine Bürd abschneiden!
Könnt ich doch, o Gotteslamm,
Dir was helfen tragen
Und für dich, mein Bräutigam,
Zittern, stehn und zagen.

5

Denn du bist in diesen Tod
Meinetwegen kommen,
Hast aus Liebe meine Not
Ganz auf dich genommen.
Du ergibst dich willig drein,
Gottes Vaterwillen
Auch in unerhörter Pein
Gänzlich zu erfüllen.

6

Ei, so hilf denn, ewger Freund,
Meiner armen Seele,
Wenn sie vor dem Tod und Feind
Bebt samt ihrer Höhle.
Laß mir deinen teuren Schweiß
Wohl zustatten kommen,
Wenn ich von dem Erdenkreis
Werde weggenommen.

XLII
Sie beklagt seine Entblöß- und Geißelung

1

O große Not,
O großer Spott,
Den mein Heiland leidet!
Der die ganze weite Welt
Schmücket, ziert und schön erhält,
Jesus wird entkleidet!

2

Man zieht ihn aus
Mit großem Strauß,
Reißt ihn hin und wieder.
Man entblößt das keusche Lamm,
Den verlobten Bräutigam,
Und die heilgen Glieder.

3

O seht und klagt,
Wie man ihn plagt,
Wie er wird gebunden!
Wie man ihn mit Geißeln schmeißt
Und den zarten Leib zerreißt,
Daß er voller Wunden!

4

O Herzeleid,
O Traurigkeit!
Daß er dies muß leiden,
Ursacht nur mein Ungeduld,
Mein Entblößung und die Schuld
Meiner schnöden Freuden.

5

O Gottes Sohn,
Ist dies der Lohn,
Daß du mich erwählet?
Muß der Bräutgam für die Braut
Selbst bezahlen mit der Haut,
Und so sein gequälet?

6

O Jesu mein,
Laß diese Pein
Mir zu Herzen gehen.
Dein Entblößung sei mein Kleid,
Daß ich zu der letzten Zeit
Nicht beschämt darf stehen.

95

XLIII

Sie beklagt Jesum, da er sein Kreuz trägt

1

Kommt heraus, all ihr Jungfrauen,
Euren König anzuschauen!
Schauet ihn in seiner Krone,
Die er trägt mit großem Hohne
Für eure Sünd und Missetat.

2

Schauet, wie er wird geführet,
Wie er ist herausstaffieret!
Schaut sein Elend und sein Leiden
In dem Tage seiner Freuden,
In seiner Seelen Hochzeitsfest!

3

Schaut sein Antlitz voller Wunden,
Voller Beulen, voller Schrunden!
Schauet, wie die Locken hangen
Ohne Zierat, ohne Prangen,
Mit Kot vermenget und mit Blut!

4

Schauet, wie sein Hals zerrissen
Und mit Geißeln ist zerschmissen!
Schaut die Ketten und die Bande,
Die er trägt zum Unterpfande,
Betrachtet seinen Purpurrock!

5

Schauet, wie er geht gebücket,
Wie das Kreuz ihn niederdrücket!
Schauet, wie er ist verstellet,
Wie er auf die Erden fället
Vor übergroßer Mattigkeit!

6

O des Armen und Betrübten!
O des Treuen und Verliebten!
Ist auch wohl ein Mensch zu finden,
Dem nicht alle Kräfte schwinden,
Wenn er Gott selbst so leiden sieht?

7

Denkt ihr Töchter und ihr Bräute,
Was euch dieser Gang bedeute.
Denkt, wo er euch soll erhöhen,
Daß ihr müßt mit ihme gehen
Und seine Kreuzgenossen sein.

8

Niemand kommt zur ewgen Freuden
Ohne Christi Kreuz und Leiden.
Wer nicht hilft sein Kreuze tragen,
Darf nicht nach der Hochzeit fragen
Und des durchlauchten Lammes Kuß.

9

Nimm, o Jesu, deine Schmerzen
Nimmermehr aus meinem Herzen.
Laß mich würdig sein befunden,
Daß ich trage deine Wunden
Und deine Kron, mein Bräutigam.

10

Daß man mich dein Bildnis nenne
Und bei deinen Leiden kenne,
Daß man an dem Hochzeitstage
Allenthalben sing und sage,
Daß ich dir treu gewesen bin.

XLIV

Sie betrachtet den gekreuzigten Jesum

1

Schau, Braut, wie hängt dein Bräutigam
An eines harten Kreuzes Stamm!
Ist auch wohl ein Schmerz zu nennen,
Den man nicht an ihm kann kennen?

2

Schau doch, er hänget ganz entblößt,
Betrübt, geängstigt, ungetröst!
Voller Beulen, voller Wunden,
Ungepflegt und unverbunden.

3

Die Glieder alle sind zerdehnt,
Der Mund steht offen, lechzt und gähnt.
Und die Lippen, wie Korallen,
Sind verblaßt, beschmitzt mit Gallen.

4

Sein huldenreiches Angesicht
Kann man vor'm Blut erkennen nicht.
Seine Stirn ist ganz zerstochen
Und die Augen sind gebrochen.

5

Das Haupt ist grausamlich verhöhnt,
Mit einem Dornenkranz gekrönt.
Und der Haare tapfre Locken
Hängen voller Speichelflocken.

6

Die Händ und Füße sind durchbohrt,
Verrenkt, gelähmet und verkohrt.

Auch das Herz, o groß Betrüben!
Ist nicht unverwundet blieben.

7

Schau, Braut, so gehts dem grünen Reis!
So gehts dem fruchtbarn Paradeis!
Schau, wie wirds mit dir dann werden,
Dürres Holz, Staub, Asch und Erden.

8

Jedoch verzage nicht, er hat
Bezahlet deine Missetat.
Schau, er neigt sich, dich zu küssen,
Will dich um und bei sich wissen.

9

Geh, werde seinem Leiden gleich,
Erduld auch du mit ihm den Streich.
Denn es will sich nicht geziemen,
Daß die Braut sei ohne Striemen.

10

Ach, steig hinauf und stirb mit ihm,
Wie ein verliebter Seraphim.
Wer sein Leben will erwerben,
Muß mit ihm am Kreuze sterben.

XLV
Sie betrachtet das zerschlagene Angesicht Jesu Christi

1

O allerschönstes Angesicht,
Wie bist du zugericht!
O Sonne der Gerechtigkeit,
Wie ist dein Glanz verspeit!

Wo ist der Purpur deiner Wangen?
Wo der Korallenmund?
Wo die Gestalt, die mich gefangen
Und bis ans Herze hat verwundt?

2

Seh ich doch nichts, o wahrer Gott,
An dir als Hohn und Spott!
Wie ist doch deiner Augen Licht
So ganz und gar vernicht!
Wo vormals Sammetrosen stunden,
Mit Lilien untermengt,
Da sind jetzt Beulen, Schläg und Wunden
Mit Speichel und mit Kot besprengt.

3

Wer hats getan, mein Augentrost?
Wer war doch so verbost?
Wer durfte solche Grausamkeit
Dir antun ungescheut?
Ach weh! ich, ich mit meinen Sünden,
Ich, ich habs selbst getan!
Ich hab dich selber helfen binden,
Geschlagen und gespieen an.

4

Ach weh! wo wend ich mich nun hin,
Weil ich der Täter bin.
Wo find ich wieder Gnad und Huld
Auf solche große Schuld?
Ich bleib, o Jesu, bei dir stehen
Und weiche nicht von dir,
Kann auch vor Angst nicht weiter gehen,
Es ist mir leid, vergib es mir.

5

O allerliebstes Angesicht,
Vergib und zürne nicht!
O honigsüßer Rosenmund,
Verzeih mirs diese Stund!
Ich will mit lauter Liebestränen
Abwaschen diesen Spott
Und mich mit höchstem Fleiß gewöhnen,
Zu ehrn dein Antlitz bis in Tod.

XLVI
Sie nimmt ihre Zuflucht zu seinen Wunden

1

Seid gegrüßt, ihr Honiggraben,
Die mein krankes Herze laben,
Seid gegrüßt, ihr offnen Höhlen,
Süße Zuflucht meiner Seelen.
Ihr Wunden Jesu, seid gegrüßt
Und mit inniglicher Lieb geküßt.

2

Euch inbrünstig anzubeten,
Bin ich jetzo hergetreten.
Euch zu ehren, zu beschenken
Und mich ganz in euch zu senken,
Komm ich mit großer Zuversicht,
Ach verschmäht doch mein Erbieten nicht.

3

Es ist zwar sonst nichts als Sünden
Um und an mir zu befinden.
Aber dennoch bin ich kommen,
Weil ich tröstlich hab vernommen,
Daß Jesus, der mich hat erkiest,
Für die Sünder nur verwundet ist.

4

O, wie unerhörte Taten,
Daß er mir hat so geraten!
O, wie wunderliche Liebe,
Die sich mir mit Blut verschriebe!
Ich danke dir, Herr Jesu Christ,
Daß du mir so groß genädig bist.

5

Schau, ich falle dir zu Fuße
Mit zerknirschter Herzensbuße.
Laß sich doch dein Blut ergießen
Und auf meine Seele fließen.
Wasch mich nun wieder weiß und rein,
Daß ich möge dir gefällig sein.

6

Es ist wahr, daß ich verschwendet
Alls, was du mir zugewendet.
Aber schau doch jetzo nieder,
Dein verlornes Kind kommt wieder.
O lieber Vater, nimm mich an
Und vergib mir, was ich hab getan.

7

Meine Seele war der Groschen,
Der verloren und verloschen.
Aber nun ist er gefunden
Bei dem Lichte deiner Wunden.
Ach hilf doch, daß er für und für
Wohl verwahret bleiben mög in dir!

8

Ich verließ zwar deine Herde
Und verging mich auf der Erde.
Aber schau, ich komm bei Zeiten
Zu dem Schafstall deiner Seiten.

O guter Hirte laß mich ein,
Denn ich bin dein armes Schäfelein.

9

Ich verschmacht und muß verderben,
Laß mich doch nicht vor dir sterben!
Tu mir nur so viel zugute,
Halt mich auf mit deinem Blute.
Ernähr mich, wie du andern tust,
Mit der fetten Weide deiner Brust.

10

Ach, wie gut ist es, zu weiden
Auf dem Acker deiner Leiden!
Ach, was geben deine Schmerzen
Für Erquickung meinem Herzen!
Wie süße schmeckt der Himmelstau,
Den man findt auf deiner Wunden Au!

11

Deine Wunden sind die Bronnen,
Da das Heil wird raus gewonnen,
Sind auch gleich den Wasserflüssen,
Die im Frühling sich ergießen.
Sie machen mich so herrlich naß,
Daß ich grüne wie ein Maiengras.

12

O ihr rosenrote Quelle,
Überschwemmt doch diese Stelle,
Daß mein Herze muß versinken
Und in eurer Flut ertrinken,
Was Gott dem Herren widerstrebt
Und in mir, nicht Christo Jesu, lebt.

13

Helft mir, daß ich kann bekleiben
Und ein grüner Zweig verbleiben,
Daß ich ewig kann bestehen,
Wie die Zedern auf den Höhen.
Macht, daß ich unverwelklich blüh
Und zu keiner Zeit verdorre nie.

14

Ach, wer gibt mir Taubenflügel,
Daß ich über Berg und Hügel
Von der Erden mich erhebe
Und in'n Wunden Jesu lebe!
Daß mich des argen Geiers List
Nicht ermorden kann zu keiner Frist.

15

O Herr Jesu, gib mir Gaben,
Wie die klugen Bienen haben,
Weil ich mich zu dir gefunden
Auf die Rosen deiner Wunden,
Daß ich deins Blutes Honigseim
Trag in meinem Mund und Herzen heim.

16

Ich begehre mir von Herzen
Deine Leiden, deine Schmerzen,
Deine Wunden will ich haben,
Gib mir sie vor allen Gaben.
Mach mich nur deinen Wunden gleich,
Denn das ist mein ewges Himmelreich.

17

Deine Wunden sollen werden
Meine Wohnstatt auf der Erden,
In denselben will ich bleiben
Und mich ihnen einverleiben.
O Jesu, zeuch mein Herz und Sinn
Ganz und gar in deine Wunden hin!

XLVII

Sie küßt die Füße Jesu Christi

1

Verwundter Heiland, sieh nicht an,
Daß ich so mißgehandelt
Und mit den Sündern auf der Bahn
Der Bosheit hab gewandelt.
Ich komme nun zu deinen Füßen
Und küsse sie mit tausend Küssen.

2

Die Zunge bebt und spricht nicht viel,
Das Haupt sinkt zu der Erden.
Die Tränen sagen, was ich will,
Es reden die Geberden.
Erhör mein Herz, o große Güte,
Und das zerknirschete Gemüte.

3

Laß mich nur solche Gnad und Huld,
Wie Magdalen, erlangen
Und Ablaß meiner Sünd und Schuld
Aus deinem Mund empfangen.
Heiß mich so voller Trosts aufstehen
Und, gleich wie sie, befriedigt gehen.

4

Ich will dich lieben ohne Maß
Und nimmermehr verlassen,
Mit Herzenstränen machen naß
Und als ein Kind umfassen.
Ich will dich lieben, meine Seele,
Gib mir nur deiner Wunden Öle.

5

Ihr armen Füße seid geküßt,
Die ihr für mich zerschlagen,
Die ihr für meine Taten büßt
Und traget meine Plagen.
Hätt ich doch nie gelebt in Sünden,
Daß ihr nicht dürftet dies empfinden!

6

Verstoßt mich doch nicht, weil mirs leid,
Weil ich die Schuld bekenne,
Vergebt, weil ich mich allbereit
Von Herzen eure nenne.
Gebt, daß ich des Verdiensts genieße,
Den ihr erwerbt, ihr heilgen Füße.

XLVIII

Sie betrachtet seine am Kreuz ausgespannten Arme und Hände

1

Was bedeut dies, ihr Jungfrauen,
Daß wir unseren Bräutgam schauen
Mit ausgestreckten Armen stehn?
Daß er beide Händ ausbreitet
Und sein Blut heraußer spreitet
Und daß er sich läßt so erhöhn?

2

Tut ers nicht, uns zu erlangen,
Zu umhalsen, zu umfangen
Und unsre Seel zu sich zu ziehn?
Freilich ja, er will vom Bösen
Seine Braut hiermit erlösen,
Drum geht doch näher zu ihm hin.

3

Gehet, daß ihr seht die Plagen
Seiner Hände, die durchschlagen
Und an das Kreuz geheftet sein.
Daß ihr seht, mit was für Wunden
Euer Bräutgam sich verbunden,
Euch zu erretten aus der Pein.

4

Schaut das Leiden seiner Armen,
Daß es einen Stein erbarmen
Und einen Stock bewegen sollt!
Ist nicht alles so zerrenket,
Ausgezogen und gekränket,
Wie seine Feinde selbst gewollt!

5

O der großen Liebesflamme,
Die ihn an des Kreuzes Stamme
So ausgespannet stehen macht!
Hat man vormals auch gesehen
Solches Wunderwerk geschehen,
Als der verliebte Gott erdacht?

6

Dank sei dir für diese Schmerzen,
Jesu Christ, von ganzem Herzen
Und für die große Mildigkeit!
Denn dadurch hast du erworben
Meine Hände, die verdorben
Durch Neid und Unbarmherzigkeit.

7

Gib, daß ich nicht müde werde
Guts zu tun auf dieser Erde
Mit meinen Händen, was ich kann.
Daß ich deine Leiden preise
Und dir wieder Dienst erweise,
Weil du hast mir so viel getan.

8

Daß du mir an meinem Ende
Reichest deine treuen Hände
Und seligmachenden Verdienst.
Daß ich in den keuschen Armen
Hocherfreulich mög erwarmen
Mit unaufhörlichem Gewinst.

XLIX
Sie beklagt die verfallenen Augen Jesu Christi

1

Ihr keuschen Augen, ihr, mein allerliebstes Licht,
Das meinem Bräutigam und Heiland jetzo bricht!
Ihr Augen voller Huld,
Voll himmelischer Lust,
Was habt denn ihr verschuldt,
Daß ihr verbleichen mußt?

2

Ihr habt ja euren Strahl von Gott nie abgewendt,
Noch auf die Kreatur, wie ich, je angelendt.
Wie muß denn euer Glanz,
Der nie gesündigt hat,
Sich nun verbergen ganz,
Ohn alle Missetat?

3

Ich hatte meinen Trost auf euren Schein gesetzt,
Weil meine Seel ihr Licht verdunkelt und verletzt.
Wo soll ich jetzt nun hin,
Weil in so kurzer Zeit
Entweichet meinem Sinn
Der Glanz der Herrlichkeit?

4

Mein Augen werden blöd und alle Geister schwach,
Der Mund spricht schon nicht mehr als ein geseufztes Ach!

Hat auch der Mond ein Licht,
Wenn seiner Sonnen Schein
Entweicht und ihm gebricht,
Wie soll denn mir nun sein?

5

O Jesu, all mein Licht, du ewger Freuden Strahl,
Komm wiederum hervor, benimm mir diese Qual!
Erleuchte meine Seel,
Daß sie verderbe nicht,
Wenn ihr in ihrer Höhl
Die Lebensflamme bricht.

L

Sie beklagt das mit Dornen
verwundte Haupt ihres Königs

1

Sei beklagt, du Kaiserhaupt,
Alles Schmucks und Ehrn beraubt,
Hoch beleidigt, hoch verhöhnet
Und zum Spott mit Dorn gekrönet,
Zerbeult, zerstochen und verwundt.

2

Sei beweinet und beklagt,
Daß man dich so grausam plagt,
Daß man dich so gar vernichtet
Und so übel zugerichtet,
Du hoher Sitz der Majestät.

3

Du bist würdig, daß man dich
An soll beten ewiglich,
Daß man dir, als Gottes Sohne,
Auf soll setzen seine Krone;
Und dennoch wirst du so verhöhnt!

4

Ach, was tu ich, Jesu Christ,
Daß du so verschimpfet bist!
Denn ich fühl in meinem Herzen,
Daß ich diesen Spott und Schmerzen
Mit meiner Schuld verursacht hab.

5

Meine Hoffart ists allein,
Die dir bringet diese Pein.
Und die Dornen, die dich stechen,
Solln mein Haupt, das stolze, rächen,
Das sich zu hoch erheben wolln.

6

Ach vergib mir, großer Gott,
Diese Schmach und diesen Spott.
Laß den Balsam deiner Wunden,
Die dein heilges Haupt empfunden,
Zum Trost auf meine Seele falln.

7

Überschwemm mit deinem Blut
Meinen Stolz und Übermut,
Daß ich an dem großen Tage
Dir zu Ehrn die Krone trage,
Die du hierdurch erworben hast.

LI
Sie betrachtet das verwundte Herze ihres Liebhabers

1

Sei gegrüßt, du Königskammer,
Gasthaus der Barmherzigkeit,
Aufenthalt in allem Jammer,
Freistadt in der bösen Zeit!
Allerliebstes Jesusherze,
Sei gegrüßt in deinem Schmerze.

2

Thron der Liebe, Sitz der Güte,
Brunnquell aller Süßigkeit,
Ewger Gottheit eigne Hütte,
Tempel der Dreifaltigkeit!
Treues Herze, sei gegrüßet
Und mit wahrer Lieb geküsset.

3

Hast denn du auch müssen leiden
Und so tief verwundet sein!
O du Ursprung aller Freuden,
Mußt denn du auch fühlen Pein!
Muß man denn auch dir, mein Leben,
Einen Stich durchs Herze geben?

4

Was für Lieb hat dich gedrungen,
Auszustehen solchen Stoß?
Weil der Feind schon war bezwungen,
Da du starbest nackt und bloß,
Da dein Geist mit bittrem Leiden
Von dem Leibe mußte scheiden.

5

Ach, du tusts, daß ich soll wissen,
Daß du mich ganz innig liebst
Und nach so viel Liebesküssen
Auch dein Herzensblut hergibst.
Daß du alles an willst wenden,
Mein Erlösung zu vollenden.

6

O du hochverliebtes Herze,
Meines Herzens Paradeis,
Meine Ruh in allem Schmerze,
Meiner Liebe Ruhm und Preis,

Meines Geistes höchste Freude,
Meiner Seelen beste Weide.

7

Gieß die Flammen deiner Liebe
Wie ein großer Strom in mich.
Läutre mich, daß ich mich übe,
Dich zu lieben würdiglich.
Laß mein Herze noch auf Erden
Deinem Herzen ähnlich werden.

8

Durch das Blut, das du vergossen,
Liebstes Herze, laß mich ein.
Laß mich deinen Hausgenossen
Und Bewohner ewig sein.
Denn ich mag auch bei den Thronen
Ohne dich, mein Schatz, nicht wohnen.

9

Laß mich ein, mit einem Worte,
Laß mich ein, du freier Saal,
Laß mich ein, du offne Pforte,
Laß mich ein, du Liliental.
Laß mich ein, denn ich vergehe,
Wenn ich länger haußen stehe.

10

Ach, mir Armen und Betrübten,
Daß ich doch nicht damals stund,
Wo das Herze des Geliebten
Ward geöffnet und verwundt!
Denn es wäre mir gelungen,
Daß der Speer mich eingedrungen.

11

Ach, wie wollt ich mich ergötzen,
Ach, wie wollt ich fröhlich sein
Und mit wahrer Freud ersetzen
Mein Betrübnis, Angst und Pein!
Ach, wie wollt ich mich versenken
Und mein durstigs Herze tränken.

12

Laß mich ein, du güldne Höhle,
Ewger Schönheit Sommerhaus,
Laß mich ein, eh meine Seele
Vor Verlangen fahret aus.
Laß mich ein, du stiller Himmel,
Nimm mich aus dem Weltgetümmel.

13

Laß mich ein, auf daß ich bleibe
Dir ganz inniglich vereint
Und mein Herz dir einverleibe,
Daß es nicht mehr meine scheint.
Denn ich wünsche nichts auf Erden,
Als deins Herzens Herz zu werden.

LII

Die Psyche begehrt ein Bienelein auf den Wunden Jesu zu sein

1

Du grüner Zweig, du edles Reis,
Du honigreiche Blüte,
Du aufgetanes Paradeis,
Gezweig mir eine Bitte.
Laß meine Seel ein Bienelein
Auf deinen Rosenwunden sein.

2

Ich sehne mich nach ihrem Saft,
Ich suche sie mit Schmerzen,
Weil sie erteilen Stärk und Kraft
Den abgematt'ten Herzen.
Drum laß mich doch ein Bienelein
Auf deinen Rosenwunden sein.

3

Ihr übertrefflicher Geruch
Ist ein Geruch zum Leben,
Vertreibt die Gift, verjagt den Fluch
Und macht den Geist erheben.
Drum laß mich wie ein Bienelein
Auf diesen Rosenwunden sein.

4

Ich nahe mich mit Herz und Mund,
Sie tausendmal zu küssen,
Laß mich zu jeder Zeit und Stund
Den Honigsaft genießen.
Laß meine Seel ein Bienelein
Auf diesen Rosenwunden sein.

5

Ach, ach, wie süß ist dieser Tau,
Wie lieblich meiner Seele!
Wie gut ists sein auf solcher Au
Und solcher Blumenhöhle!
Laß mich doch stets ein Bienelein
Auf diesen Rosenwunden sein.

6

Nimm mein Gemüte, Geist und Sinn,
Leib, Seel und was ich habe,
Nimm alles gänzlich von mir hin,

Gib mir nur diese Gabe:
Daß ich mag stets ein Bienelein,
Herr Christ, auf deinen Wunden sein.

LIII
Sie bittet, daß ihr sein Leiden möge zustatten kommen

1

Die Seele Christi heilge mich,
Sein Geist verzücke mich in sich.
Sein Leichnam, der für mich verwundt,
Der mach mir Leib und Seel gesund.

2

Das Wasser, welches auf den Stoß
Des Speers aus seiner Seite floß,
Das sei mein Bad und all sein Blut
Erquicke mir Herz, Sinn und Mut.

3

Der Schweiß von seinem Angesicht
Laß mich nicht kommen ins Gericht.
Sein ganzes Leiden, Kreuz und Pein,
Das wolle meine Stärke sein.

4

O Jesu Christ, erhöre mich,
Nimm und verbirg mich ganz in dich.
Laß mich in deine Wunden ein,
Daß ich vor'm Feind kann sicher sein.

5

Ruf mir in meiner letzten Not
Und setz mich neben dich, mein Gott,
Daß ich mit deinen Heilgen alln
Mög ewiglich dein Lob erschalln.

LIV

Sie ruft das Lämmlein Gottes
um Vergebung der Sünden an

1

O Lämmlein Gottes großer Huld,
Das wegnimmt alle Sünd und Schuld,
Erbarm dich mein
Durch deine Pein,
Die du am Kreuz gelitten;
Da du für mich
So kräftiglich
Bis in den Tod gestritten.

2

O Lämmlein voller Gütigkeit,
Das gern vergibet und verzeiht,
Verzeih auch mir,
Was ich an dir
Von Jugend mißgehandelt;
Vergib, vergib
Durch deine Lieb,
Daß ich so träg gewandelt.

3

O Lämmlein, liebreich, süß und mild,
Das Gottes Grimm und Zorn gestillt,
Still auch mein Herz,
Weils leidet Schmerz,
Und laß mich Friede finden;
Hilf mir, mein Gott,
Welt, Teufel, Tod
Und alles überwinden.

LV

Die Psyche dürstet nach dem Wasser
des Herzens Jesu

1

Wie ein Hirsch zur dürren Zeit
Nach dem frischen Wasser schreit,
Also schreiet auch mit Schmerzen
Nach dem Wasser deines Herzen,
Jesu, meine matte Seel
In der dürren Leibeshöhl.

2

Ach, wer gibet mir zur Stund,
Daß ich meiner Seelen Mund
An dein offne Brust ansetze
Und mich da erquick und letze!
Ach, wer führet mich zu dir,
Oder aber dich zu mir!

3

Ach, wie süß ist dein Geschmack,
Wohl dem, der ihn kosten mag!
Ach wie lauter, rein und helle
Ist dein Ausfluß, deine Quelle!
Ach wie voller Trost und Lust
Spritzet deine milde Brust.

4

Dein Geruch ist über Wein,
Macht die Engel trunken sein.
Er erfreuet die Betrübten,
Er vergnüget die Verliebten,
Ja, du gleichst dich einem Strom,
Wäschst die Herzen rein und fromm.

5

Ei, so fließ doch schleuniglich
In mein Herz und tränke mich!
Fließ herein, auf daß ich trinke
Und mit dir in Gott versinke,
Da ich bis in Ewigkeit
Schmecke deine Süßigkeit.

LVI

Ihre Liebe ist gekreuzigt

1

Ich lebe nun nicht mehr; denn Christus ist mein Leben
Und meine Lieb ist gar mit ihm ans Kreuz gegeben.
Es wisse nun die ganze Welt,
Daß mir nichts mehr an ihr gefällt,
Weil meine Lieb gekreuzigt ist.

2

Es herrscht in mir kein Feur der lüsternen Begierden,
Mein Herze brennt auch nicht nach Pracht und eitlen Zierden,
Es kann kein Reichtum, Geld und Gut
Verblenden meinen Sinn und Mut,
Weil meine Lieb gekreuzigt ist.

3

Ich habe keine Lust an den geschaffnen Dingen,
Mir kann, was zeitlich ist, nicht eine Freude bringen.
Des Fleisches Schönheit und ihr Ruhm
Scheint mir wie eine blasse Blum,
Weil meine Lieb gekreuzigt ist.

4

Es darf sich nun nicht mehr die Welt um mich bemühen,
Sie wird mein Herze nicht zu ihrer Liebe ziehen.

Ich lieb und küß auch in dem Tod
Den süßen Jesum, meinen Gott,
Dem meine Lieb gekreuzigt ist.

LVII
Sie betrauert ihren Jesum

1

O so hast du nun dein Leben
Für die Psyche hingegeben,
Jesu, meine Freud und Ruh!
Bist du nun für mich gestorben
Und hast mir das Heil erworben,
Du verwundte Liebe du!

2

Freilich ja, du bist gestorben,
Daß du mir das Heil erworben,
Liegest so elende tot!
Nicht ein Atem ist zu spüren,
Nicht ein Glied kannst du mehr rühren,
Ach der unerhörten Not!

3

Deine Lippen sind verblichen
Und dein Geist von dir gewichen,
Alle Kräfte sind verzehrt.
Alle Rosen deiner Wangen
Sind verwelket und vergangen,
Alle Schönheit ist verheert.

4

Dein erfreulich Angesichte
Ist nun worden ganz zunichte,
Deine Stirn ist ungestalt.
Ja dein Augen, meine Sonnen,
Sind verloschen und zerronnen,
Alles ist verstarrt und kalt.

5

Ach, wo werd ich Feuer finden,
Mich hinfüro anzuzünden
In der ewgen Liebesbrunst!
Wenn dein Augen, o mein Leben,
Keine Funken von sich geben,
Ist all unser Tun umsunst.

6

Ach, was soll ich weiter sagen?
Du bist auch so gar zerschlagen,
Daß mir Herz und Seele weint.
Deine Schultern sind zerschmissen
Und dein Haupt so sehr zerrissen,
Daß es lauter Wunde scheint.

7

Du bist ganz mit Blut umflossen,
Welches du für mich vergossen
Aus dem tiefsten Lebensgrund.
Alle Glieder sind zerrenket
Und, was mehr mein Herze kränket,
Dein verliebtes Herz ist wund.

8

O der Wunde! O des Schmerzens!
O du Herze meines Herzens!
O du Arznei meiner Pein!
O, daß ich meins Herzens Leben
Möchte haben hingegeben
Und für dich verwundet sein!

9

Weil dirs aber so gefallen,
Daß du Treuester vor allen
Meinetwegen dies getan,
Will auch ich mich zu dir strecken
Und dein teures Blut auflecken,
Weil mein Mund sich rühren kann.

10

Deine Wunden will ich küssen
Und das liebste Herze grüßen,
Wie ich immer kann und weiß.
Deinen Leichnam will ich pflegen,
Mit Gewürz und Myrrhn belegen
Und ihn ehrn mit großem Fleiß.

11

Gib nur, wenn ich dich so küsse,
Daß mir Seel und Geist zerfließe,
Daß mein Herze werde weich.
Daß der Balsam deiner Wunden
Heile meiner Seelen Schrunden,
Daß mein Geist dein Herz erreich.

12

Denn ich will mich, o mein Leben,
In dein offnes Herz begeben
Als den besten Felsenstein,
Weil man vor dem Grimm der Höllen,
Vor der Welt und ihren Wellen
Kann darinnen sicher sein.

LVIII

Sie will sterben mit ihrem Jesu

1

O Elend, Jammer, Angst und Not!
Seh ich doch meinen Jesum tot!
Er ist verstarret ganz und gar,
Der einzig meine Hoffnung war!
Nun nimm, nun nimm dies Leben hin,
Ich ruh nicht, bis ich auch fort bin.

2

Nichts ist nun auf der ganzen Welt,
Das mein Gemüt zufriedenstellt,
Mein Trost und Freude, Gottes Sohn,
Mein Lieb und Leben ist davon.
Ach nimm, ach nimm dies Leben hin,
Ich ruh nicht, bis ich auch fort bin.

3

Dein, Schönster, blasses Angesicht
Macht, daß mir Herz und Mut gebricht.
Dein ganz verblichner Rosenmund
Hat mir schon Leib und Seel verwundt.
Ach nimm, ach nimm dies Leben hin,
Ich ruh nicht, bis ich auch fort bin.

4

Ich weiß wohl, daß du mir zu gut
Vergossen hast dein teures Blut.
Drum, daß ich es vergelte dir,
So will ich wieder sterben mir.
Ei nimm, ei nimm dies Leben hin,
Ich ruh nicht, bis ich auch fort bin.

5

Gib mir dein Leiden, Kreuz und Pein,
Die Nägelmale drück mir ein.
Verehre mich mit deinem Spott,
Mach mich ganz ähnlich deinem Tod.
Ach nimm, ach nimm dies Leben hin,
Ich ruh nicht, bis ich auch fort bin.

6

O Jesu, laß mich doch nicht hier,
Nimm mich nur in das Grab mit dir!
Laß deines süßen Herzens Schrein
Mein Grab und eigne Ruhstatt sein.
O Jesu, nimm dies Leben hin,
Ich ruh nicht, bis ich bei dir bin.

LIX

Sie beklagt ihn bei dem Grabe

1

Ihr alle, die ihr Jesum liebt,
Seid traurig und betrübt!
Er, der wahre Gottes Sohn,
Der da saß auf Vaters Thron,
Wird ins Grab geleget.

2

Schau, Braut, hier liegt dein Bräutigam,
Dein Hirt und auch dein Lamm!
Deines Herzens Trost und Ruhm,
Deiner Seelen Eigentum,
Schau, er ist gestorben.

3

O großes Leid, o bittre Not!
Was ist das für ein Tod!
Alles, was die ganze Welt
Und der Himmel in sich hält,
Das muß ihn beklagen.

4

Ach, ach wie liegt er so verkalt,
Verblasset und verstalt!
Seiner Augen Freundlichkeit,
Seiner Stirne Herrlichkeit
Ist nun ganz verschwunden.

5

O Menschenkind, bedenk es wohl.
Was dies bedeut und soll!
Deine Sünd und Missetat
Ists, die ihn getötet hat
Und ins Grab versenket.

6

Wie selig ist der, weil er lebt,
Sich selbst mit ihm begräbt!
Der von Sünden absteht
Und durch seinen Tod eingeht
In ein besser Leben.

7

Drum fall ich auch nun zu dir hin,
Mein Jesu, wie ich bin.
Denn ich will, o Gott, mit dir
Sein begraben für und für,
Bis ich auferstehe.

LX

Sie dankt dem Herrn Jesu für seinen Tod

1

Ich danke dir für deinen Tod,
Herr Jesu, und die Schmerzen,
Die du in deiner letzten Not
Empfundst in deinem Herzen.
Laß die Verdienste solcher Pein
Ein Labsal meiner Seelen sein,
Wenn mir die Augen brechen.

2

Ich danke dir für deine Huld,
Die du mir hast erzeiget,
Da du mit Zahlung meiner Schuld
Dein Haupt zu mir geneiget.
Ach neig dich auch zu mir, mein Gott,
Wenn ich gerat in Todesnot,
Daß ich Genade spüre.

3

Laß meine Seel in deiner Gunst
Aus ihrem Leibe scheiden,
Auf daß an mir nicht sei umsunst
Dein teuer wertes Leiden.
Nimm sie hinauf zur selben Frist,
Wo du ihr liebster Jesu bist,
Und laß mich ewig leben.

LXI
Sie bittet ihn um ein seliges Ende

1

O treuer Jesu, der du bist
Mein Hirte, Trost und Leben,
Mein bester Freund zu jeder Frist,
Dem ich mich ganz ergeben.
Ich bitte dich
Ganz inniglich,
Laß mich doch nicht verderben,
Wenn kommt die Zeit zu sterben.

2

Steh mir am letzten Ende bei
Und hilf mir überwinden,
Mach mich von meinen Schulden frei
Und sprich mich los von Sünden.
In aller Not
Sei mir dein Tod
Und unverschuldtes Leiden
Ein Anblick großer Freuden.

3

Erscheine mir zur selben Zeit
Mit deinen offnen Wunden,
Die du, daß ich soll sein befreit,
Aus lauter Lieb erfunden.

Dein teures Blut
Komm mir zu gut
Und labe meine Seele
In ihrer matten Höhle.

4

Und wenn ich nicht mehr sprechen kann
Noch meinen Mund bewegen,
So nimm die schwachen Seufzer an,
Die sich im Herzen regen.
Laß für und für
Gar süß in mir
Den Namen Jesus schallen,
Wenn mirs Gehör entfallen.

5

Daneben bitt ich, treuer Gott,
Du wollst mich ganz umfassen
Und ja nicht in derselben Not
Aus deinen Armen lassen.
Ach, möcht ich doch
Auch heute noch
Die teure Gunst erwerben,
In deiner Schoß zu sterben.

6

Ei nun, so komm zu deinem Lamm,
Mein Hirte, Trost und Leben,
Mein bester Freund und Bräutigam,
Dem ich mich ganz ergeben.
Komm bald zu mir,
Nimm mich mit dir
Aus diesem See der Leiden
Ins Reich der ewgen Freuden.

LXII
Sie bittet um seine Gnade im letzten Gerichte

1

Fürst der Fürsten, Jesu Christ,
Der du der Erden Richter bist,
Nimm dich meiner Seel jetzt an,
Daß ich dort bestehen kann.

2

Schreib mich in das Lebensbuch
Zu einem süßen Gottsgeruch,
Daß dein Grimm mich schrecke nicht,
Wenn du halten wirst Gericht.

3

Siehe mich genädig an,
Wie du dem Petro hast getan.
Laß mich, wie die Magdalen,
Wohl getröst von hinnen gehn.

4

Wie Mattheo in dem Zoll
Und wie Zacheo hoffnungsvoll,
Wie dem Schächer sei mir huld
Und vergib mir alle Schuld.

5

Laß mich bei den Lämmern stehn,
Wenn das Gerichte wird angehn.
Laß mich deiner rechten Hand,
Liebster Jesu, sein bekannt.

6

Laß mich hören, wenn dein Mund
Den freudenreichen Spruch tut kund:
Kommt, die ihr gebenedeit,
In das Reich der Herrlichkeit.

7

Daß ich voller Freuden sei
Und mich dir nahe keck und frei,
Daß ich deiner Gütigkeit
Danke bis in Ewigkeit.

LXIII

Sie setzt sich unter den Baum
des heiligen Kreuzes

1

Selig, wer sich suchet Raum
Auf den grünen Friedensmatten,
Bei des heilgen Kreuzes Baum,
Sitzend unter seinem Schatten;
Denn er bleibet wohl beschützt,
Wenns gleich donnert, kracht und blitzt.

2

Keine Sonne brennet ihn
Und kein Monde kann ihm schaden,
Sein Gemüte, Herz und Sinn
Wird mit keinem Weh beladen.
Er ist sicher, daß nicht Gift
Noch ein Unheil ihn betrifft.

3

Er erquicket seine Brust
Mit der Frucht, die auf ihm stehet,
Wird dadurch nach Wunsch und Lust
Inniglich zu Gott erhöhet.
O wie süß ist diese Frucht!
Selig, wer sie recht versucht!

4

Seine Seele wird getröst
Wie ein Schaf auf frischer Weiden,
Wenn sie den, der sie erlöst,
So verliebet siehet leiden.
Wenn der Balsam auf sie fließt,
Der sich reichlich da ergießt.

5

Kommet her, ihr allesamm,
Die ihr schwach und abgemattet,
Setzt euch unter diesen Stamm,
Daß er eure Seel beschattet.
Eilt dem heilgen Kreuze zu,
Denn ihr findt da wahre Ruh.

6

Jesu, laß mich für und für
Unter deinem Kreuze bleiben,
Laß mich keinen Feind von dir
Und aus deinem Schatten treiben;
Denn dein Kreuz und deine Pein
Ist mein Trost und Ruh allein.

LXIV

Sie bittet ihn um Beistand in Anfechtung

1

Erbarm dich mein, o Jesu Christ,
Der du für mich gestorben bist;
Sieh an mein Angst und große Not,
Errette mich, du treuer Gott.

2

Gedenk an deine Seelenpein,
O hochgeplagtes Lämmelein;
Erinnre dich der schweren Last,
Die du für mich getragen hast.

3

Schau, was ich leide von dem Feind,
Der mich mit Macht zu fällen meint;
Er stellt mir nach und ficht mich an,
So viel er immer weiß und kann.

4

Ach laß ihm doch, mein Gott, nicht zu,
Daß er mir einen Schaden tu;
Steur ihm mit deiner starken Hand
Und mache seine List zu Schand.

5

Ich flieh zu dir, mein Felsenstein,
Wie ein verfolgtes Täubelein;
Ich setz mich in deins Herzens Riß,
Da bin ich sicher und gewiß.

6

Verbirg mich drinnen, Jesu Christ,
Vor aller seiner Macht und List,
Daß er mich übertäube nicht,
Wenn mir mein Herz und Sinn gebricht.

LXV
Die Psyche jubiliert über der Auferstehung Jesu Christi

1

Nun ist dem Feind zerstöret seine Macht,
  Der Tod ist tot
Und uns das Leben wieder bracht.
  Singet und klingt,
  Hüpfet und springt,
    Jubiliert,
Unser Jesus triumphiert.

2

Sein Leiden, Kreuz und alle seine Not
  Hat nun ein End
Und wir stehn wohl mit unserm Gott.
  Herrlich und schön
  Kann man nun gehn
    Ihm zu Preis
In das offne Paradeis.

3

Wie wohl hat er dem Satan obgesiegt,
  Der edle Held,
Und uns das Himmelreich erkriegt!
  Seid nun erfreut,
  Jauchzet und schreit,
    Ueberall
Töne der Trompeten Schall!

4

Kraft, Ehr und Preis und Ruhm und Herrlichkeit
  Sei unsrem Gott,
Dem süßen Heiland allezeit!

Herzlichen Dank,
Lob und Gesang
Spät und früh
Sagt ihm mit gebognem Knie.

5

Ach Jesu hilf, daß ich auch aufersteh
In deiner Kraft
Und in die ewge Freude geh.
Bleibend bei Gott
Sicher fürm Tod,
Dich und ihn
Lobe wie ein Seraphin.

LXVI

Sie erzählt die Herrlichkeit seiner Auferstehung

1

Nun danket Gott, ihr Christen all,
Und jauchzet ihm mit großem Schall,
Dieweil er seiner Gottheit Macht
Durch seinen Sohn an Tag gebracht.
Triumph, Triumph schrei alle Welt,
Denn Jesus hat den Feind gefällt.

2

Er ist erstanden von dem Tod,
Der Lebens-Fürst, der wahre Gott.
Er hat des Teufels Burg zerstört
Und Gottes Himmelreich gemehrt.
Triumph, Triumph schrei alle Welt,
Denn Jesus hat den Feind gefällt.

3

Er ist erschienen wie der Blitz
Und hat betört der Feinde Witz.

Er hat erweiset mit der Tat,
Was er zuvor verkündigt hat.
Triumph, Triumph schrei alle Welt,
Denn Jesus hat den Feind gefällt.

4

Er hat nun überwunden gar
Sein Leiden, Trübsal und Gefahr.
Sein Haupt trägt schon mit großem Glanz
Den ewig grünen Lorbeerkranz.
Triumph, Triumph schrei alle Welt,
Denn Jesus hat den Feind gefällt.

5

Die Wunden, die er hier empfing,
Da er ans Kreuz genagelt hing,
Die leuchten wie die Morgenstern
Und strahlen von ihm weit und fern.
Triumph, Triumph schrei alle Welt,
Denn Jesus hat den Feind gefällt.

6

Er ist nun voller Seligkeit
Und herrschet über Ort und Zeit.
Er lebt voll Freud im Paradeis
Und hört mit Lust sein Lob und Preis.
Triumph, Triumph schrei alle Welt,
Denn Jesus hat den Feind gefällt.

7

Drum danket Gott, ihr Christen all,
Und jauchzet ihm mit großem Schall.
Ihr sollt in ihm auch auferstehn
Und in die ewge Freude gehn.
Drum schrei Triumph die ganze Welt,
Denn Jesus hat den Feind gefällt.

LXVII

Sie bestellet zu Ehren
seiner Auferstehung eine Musica

1

Lobt den Herrn,
Weit und fern
Preiset Jesum, meinen Gott,
Mit Pauken und Trompeten,
Mit Zinken und mit Flöten,
Mit Orgeln und Schalmeien,
Die laut und helle schreien.
Lasset hören
Ihm zu Ehren
Ein Getöne
Wunderschöne,
Saust und schallt mit vollen Chören.

2

Bringt vor ihn
Klugen Sinn,
Musiziert ihm süßiglich.
Laßt Lauten, Harpffen, Geigen
Wohlklingend ihm sich neigen,
Stimmt auch Violdigammen
Aufs künstlichste zusammen.
Laßt es klingen
Und drein singen,
Machts mit neuen
Melodeien
Hurtig, bis die Saiten springen.

3

Denn er hat
Mit der Tat
Uns erlöset von dem Feind.
Er hat ihn überwunden,
Gefangen und gebunden,

Hat ihn gemacht zu Schanden,
Ist herrlich auferstanden.
Triumphieret
Und regieret,
Hilft uns kämpfen,
Daß wir dämpfen
Alls, was feindlich wird gespüret.

LXVIII

Sie ladet ihn in ihr Herze ein

1

Ach, was stehst du auf der Au
Und wirst naß und kalt vom Tau?
Tritt herein in meine Hütte,
Denn dir rufet das Gemüte.
Nimm in meinem Herzen Ruh,
Du verliebter Schäfer, du.

2

Schau, ich tu dir auf die Tür,
Komm doch, komm herein zu mir;
Komm doch, weil ich mit Verlangen
Oft gewünscht, dich zu empfangen.
Komm, o süßer Seelengast,
Hier ist deine Ruh und Rast.

3

Ei, was willst du weiter gehn
Oder länger draußen stehn?
Komm in meines Herzens Höhle,
Liebste Seele meiner Seele.
Komm, ich räume dir es ein,
Ewig solls dein eigen sein.

4

Komm, es soll in jedem Nun
Deinen liebsten Willen tun,
Bis es endlich von der Erden
Wird durch dich erhaben werden;
Da es dir zu Lob und Preis
Sei ein ewig Paradeis.

LXIX
Sie bittet, er wolle bei ihr bleiben, weils Abend worden

1

Wo willst du hin, weils Abend ist,
Verliebter Pilgram Jesu Christ?
Ei, bleib doch hier und rast in mir,
Ich laß dich nicht, du ewges Licht,
Ich schrei dir nach mit tausend Ach:
Ach bleib doch hier, mein Leben,
Ich will dir Herberg geben.

2

Die Sonne hat sich schon gesenkt,
Die Nacht ist da, die mich bedrängt.
Komm doch herein, mein Freudenschein,
Zünd an mein Herz wie eine Kerz,
Erleucht es ganz mit deinem Glanz,
Daß ich dich mög erkennen
Und durch und durch entbrennen.

3

Wenn du bei mir bleibst, werter Gast,
So werd ich ledig meiner Last.
Du brichst mir Brot in Hungersnot,
Du treibest weit die Eitelkeit,
Du zeigst mir an die rechte Bahn,
Du machst, daß meine Sinnen
Die Wahrheit finden können.

4

Ich lasse dich nicht, liebster Freund,
Bis daß die Sonne wieder scheint.
Hab nur Geduld und sei mir huld,
Du kannst nicht fort aus diesem Ort,
Mein Herze wacht, hat deiner Acht,
Ich will dich fest umfassen
Und nicht entweichen lassen.

LXX

Sie bittet ihn, daß er sie,
sein Schäflein, als ein guter Hirt
wolle in seinen Schafstall bringen

1

Guter Hirte, willst du nicht
Deines Schäfleins dich erbarmen
Und nach deiner Schuld und Pflicht
Tragen heim auf deinen Armen?
Willst du mich nicht aus der Qual
Holen in den Freudensaal?

2

Schau, wie ich verirret bin
Auf der Wüste dieser Erde,
Komm und bringe mich doch hin
Zu den Schafen deiner Herde.
Führ mich in den Schafstall ein,
Wo die heilgen Lämmer sein.

3

Mich verlangt, dich mit der Schar,
Die dich loben, anzuschauen,
Die da weiden ohn Gefahr
Auf den fetten Himmelsauen.

Die nicht mehr in Furchten stehn
Und nicht können irre gehn.

4

Denn hier bin ich sehr bedrängt,
Muß in steten Sorgen leben,
Weil die Feinde mich umschränkt
Und mit List und Macht umgeben,
Daß ich armes Schäfelein
Keinen Blick kann sicher sein.

5

O Herr Jesu, laß mich nicht
In der Wölfe Rachen kommen,
Hilf mir nach der Hirten Pflicht,
Daß ich ihnen werd entnommen.
Hole mich, dein Schäfelein,
In den ewgen Schafstall ein.

LXXI

Sie singt von seiner Himmelfahrt

1

Nun fähret auf Marien Sohn
In Gottes und auch seinen Thron,
Er triumphieret wie ein Held,
Der alle Feinde hat gefällt.
Seid fröhlich, ihr Himmel,
Macht heilges Getümmel,
Eröffnet die Pforten
Mit jauchzenden Worten,
Laßt eure Trompeten aufs kräftigste hören,
Auf daß ihr empfahet den König der Ehren.

2

Er zeucht nun herrlich bei euch ein
Und bringt euch neuen Glanz und Schein.
Er bringet euch mit Göttlichkeit
Die menschliche Natur bekleidt.
Ihr könntet nun sehen,
Was vor nie geschehen,
Des Menschen Sohn sitzen
Im ewigen Blitzen.
Regiern und beherrschen mit Gott zu gleiche
Der ewigen Herrlichkeit ewige Reiche.

3

Betrübet euch, mein Augen, nicht,
Daß euch der liebste Schatz entbricht.
Es wird in kurzem bald geschehen,
Daß ihr ihn werdet wieder sehen.
Er will nur bei Zeiten
Die Bleibstadt bereiten,
In der er mit Freuden
Uns ewig wird weiden.
Bald wird er mit tausendmal Tausenden kommen,
Viel herrlicher, als er jetzt Abschied genommen.

4

Ehr sei dir, Jesu, ewiglich,
Der du so auffährst wunderlich.
Zeuch auch mein Herz hinauf zu dir,
Daß es erhöht sei für und für.
Auf daß ich mit Wonne
Dir, ewige Sonne,
Am Ende der Erden
Mag zugetan werden
Und immer und ewig, im Himmel erhaben,
Mit deinen Verdiensten mich freuen und laben.

LXXII

Sie begehrt, daß er sie soll nach sich ziehen

1

Zeuch mich nach dir,
So laufen wir
Mit herzlichem Belieben
In den Geruch,
Der uns den Fluch
Verjagt hat und vertrieben.

2

Zeuch mich nach dir,
So laufen wir
In deine süßen Wunden,
Wo insgeheim
Der Honigseim
Der Liebe wird gefunden.

3

Zeuch mich nach dir,
So laufen wir,
Dein liebstes Herz zu küssen
Und seinen Saft
Mit aller Kraft
Aufs beste zu genießen.

4

Zeuch mich in dich
Und speise mich,
Du ausgegossnes Öle.
Gieß dich in Schrein
Meins Herzens ein
Und labe meine Seele.

5

O Jesu Christ,
Der du mir bist
Der Liebst auf dieser Erden,
Gib, daß ich ganz
In deinen Glanz
Mög aufgezogen werden.

LXXIII

Sie kehrt sich nach ihm als zu ihrem Nordstern und begehrt
ganz in ihn gezogen zu werden

1

Nordstern der verliebten Herzen,
Schön vor allen Himmelskerzen,
Trauter Jesu, für und für
Kehrt mein Herze sich zu dir.
Ach, wann wird es von der Erden
Ganz in dich gezogen werden!

2

Ich begehre nicht zu leben,
Wenn ich außer dir soll schweben.
Aufgelöst wünsch ich zu sein
Und in deinem Glanz und Schein,
Mein Herr Jesu, mich zu laben;
Willst du mich denn noch nicht haben?

3

Schwebt doch vor schon mein Gemüte
Außer mir und dieser Hütte.
Bin ich doch schon mehr bei dir
Als in meinem Leibe hier.
Denn die Seele, die dich liebet,
Ist nicht, wo sie Leben gibet.

4

Ach, was hab ich von der Erden,
Daß ich ihr nicht los kann werden!
Was für Freude gibt die Welt,
Die mir ohne dich gefällt?
O du Nordstern frommer Herzen
Mach ein Ende meinen Schmerzen.

5

Mach ein Ende dem Verlangen,
Das ich hab, dich zu empfangen.
Zeuch mich, liebster Jesu, hin,
Wo ich um und bei dir bin.
Daß ich lebe, wo ich liebe,
Und nicht länger mich betrübe.

LXXIV

Sie beklagt sich, daß er sich vor ihr verborgen

1

Wo ist der Liebste hingegangen,
Der meine Seele hält gefangen,
Der mir mein Herz genommen hat?
Wo ist die Sonne der Betrübten,
Wo ist der Leitstern der Verliebten,
Der mich getröstet früh und spat?

2

Ich geh vom Abend bis zum Morgen
In großem Kummer, großen Sorgen
Daß ich nicht seh sein Angesicht.
Ich ängste mich in meinem Herzen,
Ich leide Pein und große Schmerzen,
Daß mir mein liebster Schatz gebricht.

3

Wer gibt mir, daß ich ihn geschwinde,
Wie ich begehr, erblick und finde
Und unzertrennlich bei ihm sei?
Wer will mir, um mich zu erheben,
Der Morgenröte Flügel geben,
Daß ich ihn suche frisch und frei?

4

Ist er im Haus der Ewigkeiten,
Mir eine Wohnung zu bereiten,
So mach ers bald und säum sich nicht.
Ich werde sonst vor Leid verderben
Und gleich wie ein Verliebter sterben,
Wo es in kurzem nicht geschicht.

LXXV

Sie läßt ihm entbieten, daß sie
vor seiner Liebe krank lieget

1

Ihr Engel, die das höchste Gut
Verordnet hat zu unsrer Hut,
Geht, bringets meinem Bräutgam hin,
Daß ich vor Lieb erkranket bin.

2

Die Liebe hat mirs Herz verwundt,
Daß michs noch schmerzet diese Stund.
Die Liebe hat mein Mark verzehrt
Und alles Blut mir ausgeleert.

3

Ich habe schon so lang und oft
Nach ihm geschrieen und geruft,
Zu ihm gesagt mit tausend Ach:
Um dich, mein Jesu, bin ich schwach.

4

Nun sterb ich hin, wo er nicht kömmt
Und mich in seine Arme nimmt.
Ach, ach, was ists für große Pein,
Ihn lieben und nicht bei ihm sein.

5

Mein Herz ist aus sich selber hin,
Verlassen hat mich aller Sinn.
Die Seel ist auch schon auf der Bahn,
Weil sie ohn ihn nicht leben kann.

6

Drum geht, ihr Engel, bringts ihm bei,
Daß ich schon halb gestorben sei.
Wo er mich liebt, so komm er doch,
Weil ich den Atem schöpfe noch.

7

Liebkost mich jetzt nicht seine Huld,
So ist er meines Todes Schuld,
Dieweil er selbst oft früh und spat
Zur Liebe mich gereizet hat.

LXXVI

Sie beklagt sich, daß sie so lange
von ihm muß abwesend sein

1

Helfer meiner armen Seele,
Tröster in der Trauerhöhle,
Ach, wie ists so große Pein,
Lang und fern von dir zu sein.

2

Schau, ich zähle Tag und Stunden,
Bis ich selig werd entbunden.
Ach, wann endt sich meine Pein,
Daß ich sonder dich muß sein.

3

Schneid den Lebensfaden abe,
Bring mich heute noch zu Grabe,
Denn es macht mir doch nur Pein,
Wenn ich nicht bei dir soll sein.

4

Laß mich alle Lust genießen,
Laß mich alle Künste wissen.
Wenn ich nicht bei dir soll sein,
So gebiert mir es nur Pein.

5

Laß mich alle Welt verehren,
Musiziern mit tausend Chören.
Alles, alles wird mir Pein
Ohne dich, mein Jesu, sein.

6

Laß hergegen mich zerreißen
Und vom Basilisk erbeißen.
Wenn ich nur bei dir soll sein,
So bedünkt michs keine Pein.

7

Ach, wer hilft mir doch erwerben,
Daß ich schleunig möge sterben!
Daß sich ende meine Pein,
Die ich hab, bei Gott zu sein.

8

Helfer meiner armen Seele,
Tröster in der Trauerhöhle,
Jesu, Jesu, du allein,
Mußt nur meine Hilfe sein.

LXXVII

Sie beklagt sich wegen ihrer langen Pilgramschaft

1

Wer macht mich denn noch quitt und frei,
Daß ich bei Jesu sei?
Daß ich sehe meine Sonne,
Daß ich schmecke meine Kost,
Daß ich fühle meine Wonne,
Daß ich höre meine Lust,
Daß ich rieche den Geruch,
Der verjaget allen Fluch!

2

Ich wall auf Erden hin und her,
Gleich wie ein Schiff im Meer.
Mich verlanget einzulaufen
In den sichern Seelenport,
Da man Friede findt mit Haufen
Und sich fürcht vor keinem Mord.
Mich verlangt mit großer Pein,
Jesu Christ, bei dir zu sein.

3

Ich wende mich zwar für und für,
Mein Leitstern, Herr zu dir;
Aber ach, was hilft mein Wenden
Und was minderts meine Pein;
Wenn ich noch nicht soll vollenden
Meine Fahrt und bei dir sein!
Ach, daß ich doch bin behaft
Mit so langer Pilgramschaft!

4

Es tröstet mich zwar deine Treu,
Die alle Morgen neu;
Aber dennoch hat die Seele
Nicht vollkommne Fröhlichkeit,
Weil ihr in der Trauerhöhle
Mangelt deine Herrlichkeit,
Weil sie einzig und allein
Wünschet bei dir selbst zu sein.

5

So hilf mir doch genädig fort,
Mein Leitstern und mein Port.
Komm und mach es nicht mehr lange,
Denn ich seufze wie die Braut,
Der nach ihrem Bräutgam bange,
Welchem sie sich hat vertraut.
Hole mich erfreulich ein,
Laß mich ewig bei dir sein.

LXXVIII

Sie erinnert ihn seiner Zusage

1

Liebster Bräutgam, denkst du nicht
An die teure Liebespflicht,
Da du dich mit tausend Wunden
Meiner Seelen hast verbunden?

2

Denkst du nicht an deinen Spott,
An das Kreuz und an die Not
Und an deiner Seelen Leiden,
Da sie sollte von dir scheiden?

10*

3

Weißt du wohl, daß deine Pein
Mein Erlösung sollte sein?
Und wie muß ich dann auf Erden
Noch so lang gequälet werden?

4

Bin ich dir als eine Braut
Schon verlobet und vertraut,
Warum läßt du meine Seele
In des Leibes Trauerhöhle?

5

Bin ich dein und bist du mein,
Warum läßt du mich allein?
Warum willst du mich, mein Leben,
Nicht alsbald zu dir erheben?

6

Ich verschmachte vor Begier,
Die mein Herze hat nach dir.
Ich vergehe vor Verlangen,
Dich zu sehn und zu umfangen.

7

Denke doch, o Gottes Lamm,
Daß du bist mein Bräutigam.
Denke, daß dirs will gebühren,
Deine Braut zur Ruh zu führen.

8

Nimm mich, Liebster, in dein Reich,
Mach mich den Erlösten gleich.
Nimm mich aus der Trauerhöhle,
Jesu, Bräutgam meiner Seele.

LXXIX

Sie begehrt sein Angesicht zu sehen

1

Zeige mir dein Angesicht,
Schönster Nazarener,
Weil mir deiner Augen Licht
Lieber ist und schöner
Als der klarste Maienschein
Und der Himmel selbst mag sein.

2

Laß mich sehen deinen Glanz,
Ungeschaffne Sonne,
Daß ich dich betrachte ganz,
Ewge Seelenwonne.
Laß mich sehen die Gestalt,
Die kein Alter machet alt.

3

Ach, wie selig ist die Braut,
Die du angeblicket,
Die dein Antlitz hat geschaut,
Die du so erquicket!
Denn was sollt ihr lieber sein
Als des Bräutgams Augenschein?

4

Was für Freude muß die Schar
Deiner Heilgen haben,
Die sich nun schon ganz und gar
Mit dem Anschaun laben!
Denen keinmal mehr gebricht
Dein verklärtes Angesicht.

5

O du Strahl der Herrlichkeit,
Unbefleckter Spiegel,
Bildnis der Dreifaltigkeit,
Ewger Schönheit Siegel,
Wanne werd ich würdig sein,
Zu beschauen deinen Schein?

6

Wanne wird mich dieser Strahl
Von der Erd erheben,
Daß ich in des Himmels Saal
Mög ersättigt leben?
Daß ich schau, was ich so oft
Hab gesucht und angeruft.

7

Zeige mir dein Angesicht,
Allerliebste Seele,
Weil mir doch kein ander Licht
Gnügt in dieser Höhle.
Denn dein Antlitz ist allein,
Was mir ewig gnug kann sein.

LXXX
Sie hofft auf ihren Jesum

1

Hinweg mit Furcht und Traurigkeit,
Hinweg mit Zweifel, Angst und Leid.
Ich will nun haben guten Mut
Und hoffen auf das höchste Gut.

2

Mein Trost ist Jesus, Gottes Sohn,
Der in mir setzet seinen Thron,

Der mich so liebt als eine Braut,
Die ihm ganz innig ist vertraut.

3

Er hat sein kostbarliches Blut
Vergießen wollen mir zu gut.
Sein Leben gab er in den Tod,
Daß er mich nur versöhnte Gott.

4

Er hat mir seine Herrlichkeit
Versprochen und all ewge Freud.
Er wird mich auch schon bringen hin,
Wo ich ihm nur getreue bin.

5

Ob ich zwar jetzo muß allein
Gleich wie ein Turteltäublein sein,
So wird er doch zu seiner Zeit
Ersetzen dieses kurze Leid.

6

Laß kommen Trübsal, Angst und Not,
Laß wüten Teufel, Höll und Tod.
Wer nur nach Gottes Willen tut,
Der bleibet ewig wohlgemut.

7

Ich weiß, er wird in Todespein
Mein treuer Freund und Beistand sein.
Er wird erfüllen mit der Tat,
Was er mir zugesaget hat.

8

Drum will ich haben guten Mut
Und hoffen auf das höchste Gut.
Und wenn mir gleich das Herze bricht,
So will ich doch verzagen nicht.

LXXXI

Sie heißt ihren Lieben von ihr fliehen

1

Fleuch, mein Geliebter, auf die Höhe,
Fleuch immer hin und warte nicht.
Fleuch gleichsam wie ein junges Rehe,
Das von der Ebne sich entbricht.
Je mehr du fleuchst und läufst von mir,
Je stärker zeuchst du mich nach dir.

2

Mein Herz ist an dein Herz gebunden
Mit deiner ewgen Liebe Band.
Drum wird von ihme bald empfunden,
Wo sich das deine hingewandt.
Fleuch immer, fleuch, es ist dein Fliehn
Nichts anders, als mich nach dir ziehn.

3

Fleuch über alle Berg und Hügel,
Fleuch in die Wüste weit und breit.
Entlehne dir des Adlers Flügel,
Fleuch mit des Winds Geschwindigkeit.
Fleuch außer aller Kreatur,
Ich fehle schon nicht deiner Spur.

4

Ich hoff, es wird mir noch gelingen,
Daß du mich über Ort und Zeit
Mit deinem Ziehn zur Ruh wirst bringen
Und in die Schoß der Ewigkeit.
Drum fleuch nur fort, ich folge dir,
So stark du fleuchst und laufst von mir.

LXXXII

Sie bittet um seinen heiligen Geist und dessen Gaben

1

Komm, heilger Geist, du höchstes Gut,
Entzünd mein Herz mit deiner Glut.
Schlag deines Feuers süße Flammen
Ganz kräftig über mich zusammen.
Erweck in mir durch deine Gunst,
O Herr, der ewgen Liebe Brunst.

2

Erleuchte mich, du wahres Licht,
Daß ich im Finstren sterbe nicht.
Beschatte mich mit deiner Kühle,
Daß ich nicht fremde Hitze fühle.
Erquicke meines Herzens Au
Mit deiner heilgen Gottheit Tau.

3

Komm, komm, du allerbester Trost,
Der unsre Seelen liebekost.
Komm, komm, du Geber aller Gaben,
Ohn welchen wir nichts können haben.
Erfülle meines Herzens Schrein
Mit deiner starken Gottheit Wein.

4

Gib, daß ich wie ein liebes Kind
Gott fürcht und ihme folg geschwind.
Laß mich die Frömmigkeit erlangen
Und wahre Wissenschaft empfangen,
Daß ich den Weg der Seligkeit
Betrete mit Bescheidenheit.

5

Gib mir die Stärke, daß ich kann
Dir dienen wie ein Kriegesmann.
Dein Rat regiere meine Sinnen,
Daß sie recht unterscheiden können.
Verleih mir göttlichen Verstand,
Daß mir dein Wille sei bekannt.

6

Geuß deiner Weisheit güldnen Fluß
In mich durch deiner Liebe Kuß,
Daß ich in meinem Herzen wisse,
Wie gut du bist und wie so süße.
Daß ich anschau zu jeder Frist
Die Wahrheit, die du selber bist.

7

O Jesu, der du diesen Gast
Mir gar gewiß versprochen hast,
Laß ihn doch komm'n in meine Seele
Und benedeien diese Höhle.
Send ihn grad in mein Herz hinein
Und laß ihn ewig bei mir sein.

LXXXIII

Sie weist ihre Seele zu der wahren Ruhe

1

Meine Seele, willst du ruhn
Und dir immer gütlich tun,
Wünschest du dir, von Beschwerden
Und Begierden frei zu werden:
Liebe Jesum und sonst nichts,
Meine Seele, so geschichts.

2

Niemand hat sich je betrübt,
Daß er Jesum hat geliebt.
Niemand hat je Weh empfunden,
Daß er Jesum sich verbunden.
Jesum lieben und allein,
Ist so viel als selig sein.

3

Wer ihn liebt, liebts höchste Gut,
Das allein vergnügen tut.
Seine Liebe pflegt zu geben
Ewge Freud und ewges Leben.
Seine Liebe macht die Zeit
Gleich der süßen Ewigkeit.

4

Drum, so du von aller Pein,
Meine Seel, wünschst frei zu sein,
So du suchst dich zu ergötzen
Und in ewge Ruh zu setzen:
Liebe Jesum und sonst nichts,
Meine Seele, so geschichts.

LXXXIV

Sie sehnt sich, seinen Mund zu küssen

1

Du Allerschönster, den ich weiß,
Du meiner Augen Paradeis,
Du Süßer, dem ich mit Verlangen
Von Jugend auf bin nachgegangen,

Vergönne mir, daß ich dich küsse
Und deines Munds einmal genieße.

2

Es ist zwar viel, daß ich zu dir
Mich nahen darf mit der Begier.
Du aber hast mir selbst, mein Leben,
Zu dieser Kühnheit Ursach geben,
Weil du in meiner Menschheit Orden
Mein nächster Freund und Bruder worden.

3

Ich danke dir wohl, daß du mich
Hast angeblickt genädiglich
Und nach der Huld bei deinen Füßen
Die heilgen Hände lassen küssen.
Wirst du mich aber nicht erheben
Zum Mund, so hast du nichts gegeben.

4

Dein Mund, o Jesu, soll allein
Das Ende meiner Liebe sein.
Und ob sich zwar die Seraphinen,
Ihn zu berühren, nicht erkühnen,
Schätz ich doch mich dazu geboren,
Weil du mich hast zur Braut erkoren.

5

So laß mich denn nach diesem Bund
Erreichen deinen Rosenmund.
Erhebe mich, daß ich ihn küsse
Und seines Honigseims genieße,
Damit sich ende mein Verlangen,
Das mich von Jugend hat gefangen.

LXXXV

Sie schreit nach dem Kusse seines Mundes

1

Er küsse mich mit seines Mundes Kuß
Und tränke mich mit seiner Brüste Fluß,
Denn sie schmecken über Wein,
Und sein Mund
Macht zur Stund
Eine Seel voll Freuden sein.

2

Ach, ach, die Lieb ist strenge wie der Tod!
Er küsse mich, der süße Liebesgott.
Denn mein Herze flammt und brennt,
Dürst und lechzt,
Seufzt und ächzt
Und das Leben naht zum End.

3

Wo ist sein Geist, der himmelsüße Tau?
Er laß ihn doch erkühln meins Herzens Au!
Oder nehme vollends hin
Meinen Geist,
Der schon meist
Sich verloren hat in ihn.

4

O Jesu, ists, daß ich dir bin vertraut,
So komm doch her und küsse deine Braut!
Denn dein Kuß, der ists allein,
Den mein Herz
Sucht mit Schmerz
Über Gold und Edelstein.

LXXXVI

Sie singt von der Süßigkeit seiner Liebe

1

Jesu, wie süß ist deine Liebe,
Wie honigfließend ist dein Kuß!
Der hätte gnug und Überfluß,
Wer nur in deiner Liebe bliebe,
Wie süß ist es, bei dir zu sein
Und kosten deiner Brüste Wein!

2

Wie süß ist es, in deinen Armen
Empfinden deines Geistes Gunst
Und von der heißen Liebesbrunst
Bei dir, du heilge Glut, erwarmen!
Wie süß ist es, bei dir allein,
Du süßer Bräutgam, Jesu, sein!

3

Wie süß ist es, mit deinen Flammen
Entzündet werden und durchglüht
Und ganz und gar in ewgen Fried
Mit dir geflossen sein zusammen!
Wie süß ists, in ein einges Ein
Mit dir, mein Schatz, geschmolzen sein!

4

Wohl denen, die schon ganz versunken
Im Meere deiner Süßigkeit!
Sie jauchzen dir in Ewigkeit
Und sind von deiner Liebe trunken.
Wie süße mußt du ihnen sein,
Du himmelsüßer Liebeswein!

5

Wie süße, Jesu, o wie süße
Wirst du mir sein, wenn ich in dir
Genießen werde für und für
Der ewgen Gottheit ewge Küsse!
Wenn ich mit Gott ein einges Ein
In dir, mein Schatz, werd ewig sein.

LXXXVII

Der Geruch Jesu Christi erweckt in der Psyche ewige Liebesbegier

1

Ich lauf dir nach
Mit stetem Ach,
Mit Seufzen und mit Sehnen.
Ich suche dich ganz inniglich,
Mein liebster Schatz, mit Tränen;
Denn dein Geruch erweckt in mir,
Herr Jesu, ewge Liebsbegier.

2

Die Welt ist hin
Aus meinem Sinn
Mit allem ihrem Prangen.
Wie sollt ich doch
Nur etwas noch,
Was zeitlich ist, verlangen!
Denn dein Geruch erweckt in mir,
Herr Jesu, ewge Liebsbegier.

3

Des Fleisches Lust
Dünkt mich nur Wust

Und kann mich nicht ergötzen.
Mir stinkt die Erd
Und ist unwert
Mit allen ihren Schätzen;
Denn dein Geruch erweckt in mir,
Herr Jesu, ewge Liebsbegier.

4

Allein nach dir
Steht mein Begier,
Nach dir brennt Leib und Seele.
Dir soll allein
Stets offen sein
Meins armen Herzens Höhle;
Denn dein Geruch erweckt in mir,
Herr Jesu, ewge Liebsbegier.

LXXXVIII

Sie bittet ihn um seine Liebe

1

Spiegel aller Tugend,
Führer meiner Jugend,
Meister meiner Sinnen,
Jesu, der vor allen
Mir vorlängst gefallen,
Laß dich liebgewinnen.

2

Laß mich in den Armen
Deiner Huld erwarmen,
Laß mich dich genießen

Und in deinem Lichte,
Schönstes Angesichte,
Deine Lippen küssen.

3

Trage deine Flammen
In mein Herz zusammen,
Daß es sich entzünde
Und in heißer Liebe
Durch deins Geistes Triebe
Sich mit dir verbinde.

4

Zähle meine Tränen
Und mein kläglich Sehnen.
Wäge meine Schmerzen,
Die ich um dich leide,
Jesu, meine Freude,
Innerlich im Herzen.

5

Komm, erzeig dich milde
Deinem Ebenbilde;
Denn ich kann nicht leben
In des Leibes Höhle,
Wo du meiner Seele
Dich nicht willst ergeben.

6

Drum, so laß mich werden
Deine Braut auf Erden,
Daß ich kann mit Freuden
Meine Zeit vollenden
Und in deinen Händen
Aus der Welt verscheiden.

LXXXIX
Sie will sonst nichts als ihren Jesum lieben

1

Ach, sagt mir nicht von Gold und Schätzen,
Von Pracht und Schönheit dieser Welt!
Es kann mich ja kein Ding ergötzen,
Was mir die Welt vor Augen stellt.
Ein jeder liebe, was er will,
Ich liebe Jesum, der mein Ziel.

2

Er ist alleine meine Freude,
Mein Gold, mein Schatz, mein schönstes Bild,
In dem ich meine Augen weide
Und finde, was mein Herze stillt.
Ein jeder liebe, was er will,
Ich liebe Jesum, der mein Ziel.

3

Die Welt vergeht mit ihren Lüsten,
Des Fleisches Schönheit dauert nicht.
Die Zeit kann alles das verwüsten,
Was Menschenhände zugericht.
Ein jeder liebe, was er will,
Ich liebe Jesum, der mein Ziel.

4

Sein Schloß kann keine Macht zerstören,
Sein Reich vergeht nicht mit der Zeit.
Sein Thron bleibt stets in gleichen Ehren
Von nun an bis in Ewigkeit.
Ein jeder liebe, was er will,
Ich liebe Jesum, der mein Ziel.

5

Sein' Reichtum kann man nicht ergründen,
Sein allerschönstes Angesicht

Und was von Schmuck um ihn zu finden,
Verbleichet und veraltet nicht.
Ein jeder liebe, was er will,
Ich liebe Jesum, der mein Ziel.

6

Er kann mich über alls erheben
Und seiner Klarheit machen gleich.
Er kann mir so viel Schätze geben,
Daß ich werd unerschöpflich reich.
Ein jeder liebe, was er will,
Ich liebe Jesum, der mein Ziel.

7

Und ob ichs zwar noch muß entbehren,
So lang ich wander in der Zeit,
So wird er mirs doch wohl gewähren
Im Reiche seiner Herrlichkeit.
Drum tu ich billig, was ich will,
Und liebe Jesum, der mein Ziel.

XC
Sie liebt ihn als ihre Blume

1

Ich liebe dich von Herzensgrund,
Ich liebe dich, du Schöner,
Ich sehne mich nach deinem Mund,
Du süßer Nazarener.
Ich wünsche mir den Honigseim,
Der von dir fleußt, zu tragen heim.

2

O Bräutigam, wie ist dein Kuß
So süße meiner Seele!
Wie lieblich ist der Nektarfluß,
Dein ausgegoßnes Öle!

Wie ist das Herz so voller Trost,
Das du, o Jesu, liebgekost.

3

Komm her zu mir, mein Ehrenpreis,
Mein Röslein und Narzisse,
Mein Augentrost und Wegeweis,
Mein Giftheil zuckersüße.
Ich gebe dir, schöns Blümelein,
Mein Herz zu einem Blumkrug ein.

4

Ich hab dich lieber als mein Licht
Und lieber als mein Leben.
Ohn dich mein Herze mir gebricht
Und will den Geist aufgeben.
Drum seh ich dich, mein Tausendschön,
Am liebsten in demselben stehn.

5

Ach wurzele doch tief hinein
Und bringe deine Früchte.
Laß deiner Blüte Glanz und Schein
Schön zieren mein Gesichte.
Sei meines Herzens Ehrenpreis
Und machs zu Gottes Paradeis.

XCI
Sie begehrt ihn im heiligen Sakrament zu empfangen

1

Du zuckersüßes Himmelbrot,
Du wahre Seelenspeise,
Du Arznei für den ewgen Tod,
Du Kost auf meiner Reise.
Wie herzlich sehn ich mich nach dir,
Komm doch, mein Schatz, o komm zu mir,

Daß ich dich selbst bei mir mag haben
Und mich mit deinem Safte laben.

2

Ich bin verschmacht und ungesund,
Du aber kannst mich heilen.
Drum schreit zu dir mein Herz und Mund,
Daß du wollst zu mir eilen.
Dein Blut, o Jesus, ist der Tau,
Von welchem grünt meins Herzens Au.
Dein Fleisch ist meiner Seele Leben,
Das du für mich hast hingegeben.

3

Du bist mein wahres Osterlamm,
Für mich am Kreuz geschlachtet
Und willig an desselben Stamm
Von heißer Lieb verschmachtet.
Du bist des ewgen Lebens Brot,
Das meine Seel erhält vorm Tod.
Wer dich genießt, der darf nicht sterben
Und kann in keiner Not verderben.

4

Du bist die ewge Süßigkeit,
Nach der mein Geist sich sehnet.
Der wahre Trost und einge Freud,
Nach der mein Herze tränet.
Du bist meins Mundes Honigseim
Und mein gewünschter Seelenleim,
Der mich mit Gott auch in den Flammen
Vereiniget und fügt zusammen.

5

Laß mich dich doch, o Engelbrot,
Oft würdiglich genießen,
Daß ich dich möge, süßer Gott,
In meiner Seele küssen.

Daß ich dich schmecke, Jesu Christ,
Wie süß und lieblich du mir bist;
Daß ich je mehr und mehr dich esse,
Du honigsüße Wurzel Jesse.

XCII
Sie seufzt nach ihm im heiligen Sakrament

1

Verzücke mich, verzücke mich
Mein Jesu ganz in dich!
Denn mein Herze muß zerfließen
Und mein Geist muß ganz aus mir
Ob der großen Liebsbegier,
Die er hat, dich zu genießen.

2

Ach zeuch, ach zeuch mich zu dir hin
Mit Leib, Geist, Mut und Sinn!
Oder komm in meine Seele,
Geh durch diesen offnen Mund,
Heil mich, daß ich sei gesund,
Edle Salbe, süßes Öle.

3

Wie wünsch ich dich, mein Himmelbrot,
Verborgner Mensch und Gott!
Selig ist, der da kann haben
Deiner starken Gottheit Kraft
Und sein Herze mit dem Saft
Deiner süßen Menschheit laben.

4

O gib dich mir und zücke mich,
Mein Jesus, ganz in dich!

Laß mich dich in dir genießen,
Denn ich kann in Ewigkeit
Sonst von keiner Lust und Freud
Als von dir, mein Manna, wissen.

XCIII

Sie wünscht Jesum selbst in ihrem Herzen zu haben

1

Jesu, ewge Sonne,
Aller Engel Wonne,
Was für Freude muß es sein,
Wenn du kommst ins Herz hinein.

2

Du erleuchtst die Blinden,
Machst die Nacht verschwinden,
Bringest dem Gewissen Ruh,
Gibst ihm wahren Trost dazu.

3

Die betrübte Seele
Jauchzt in ihrer Höhle,
Denn du tränkst sie wie ein Strom,
Machst sie heilig, satt und fromm.

4

Alle Kräft und Sinnen
Werden deiner innen,
Auch die Glieder springen schier
Aus Frohlocken über dir.

5

Deine Liebesküsse
Sind vor Zucker süße,
Dein Geruch ist gänzlich gleich
Gott und seinem Himmelreich.

6

Sei doch nicht mehr lange,
Denn mir ist schon bange
Und mein Herze wart auf Dich,
Dir zu ruhen ewiglich.

7

Alle deine Gaben
Können mich zwar laben,
Aber keine, Jesu Christ,
Schmeckt mir, wie du selber bist.

XCIV

Sie ruft ihn in ihren Garten

1

Komm, Liebster, komm in deinen Garten,
Auf daß die Früchte besser arten.
Komm in meines Herzens Schrein,
Komm, o Jesu, komm herein.

2

Komm, bring zurechte, was zerstreuet,
Und setz es ein, damits gedeihet.
Komm, du edler Gärtner, du,
Richts nach deinem Willen zu.

3

Wenn du hereinkommst, wahre Sonne,
So steht der Garten voller Wonne.

Alle Blumen tun sich auf,
Wenn sie spüren deinen Lauf.

4

Was vor verstockt war und erfrorn,
Das lebt dann und ist neugeborn.
Was verdorret war im Fluch,
Gibet himmlischen Geruch.

5

Komm, laß deins Herzens Wasser springen
Und durch des meinen Erde dringen.
Deiner offnen Wunden Saft
Gebe mir zum Grünen Kraft.

6

Dein Haupt von Dornen ganz zerrissen,
Laß alles Blut herunter fließen.
Deines Angesichtes Schweiß
Mache mich zum Paradeis.

7

So werd ich schön und herrlich grünen
Und dir zur Lust und Freude dienen,
Und mein Herze wird so fein
Dein gewünschter Garten sein.

XCV

Sie bereitet sich, ihren Lieben im heiligen Sakrament zu empfangen

1

Auf, auf, mein Herz, und du, o meine Seele,
Ermuntre dich in deines Leibes Höhle!
Du sollst den Herrn der Herrlichkeit empfangen
Und in dir selbst zu seinem Kuß gelangen.

2

Wirf alles das, was irdisch, auf die Seiten
Und tu dich nur ihm würdig zubereiten.
Sei rein und fein geschmücket und gezieret,
Wie einer Braut des Sohnes Gotts gebühret.

3

Er kömmt und will dir seine Lieb beweisen
Und dich, sein Kind, mit seinem Leibe speisen.
Er will dir von der Lebensquelle schenken
Und dich vollauf mit seinem Blute tränken.

4

O große Gnad und unerhörte Liebe!
Damit er ganz dein Leibeseigner bliebe
Und dir dadurch erteilete sein Leben,
Hat er sich selbst dir wolln zur Speise geben.

5

Dies haben vor in etlich tausend Jahren
Die Väter nie empfangen und erfahren.
Sie trunken nur vom Fels bedeutungsweise
Und aßen Mann', das Vorbild dieser Speise.

6

Drum geh heraus mit feurigen Begierden
Und nimm ihn an mit jungfräulichen Zierden.
Verschließ ihn ganz in deinem keuschen Herzen
Und klag ihm da die heilgen Liebesschmerzen.

7

Wirst du das tun und deine lautren Sinne
Zu seinen Ehrn in Demut halten inne,
So wirst du ihn als seine Braut genießen
Und er wird dich auch als dein Bräutgam küssen.

XCVI

Sie ruft alle Heiligen an,
daß sie sie ihrem Bräutigam bereiten helfen

1

Ihr Götter, die ihr um den Thron
Des großen Jesu stehet
Und schaut, wie er, der Jungfraun Sohn,
So herrlich ist erhöhet,
Kommt alle, kommt und helfet mich
Ihm zubereiten würdiglich,
Daß ich noch mög auf dieser Erden
Ihm ganz und gar vermählet werden.

2

Maria, die den nächsten Sitz
Bei ihm hast überkommen
Und ihm mit deiner Klarheit Blitz
Sein Herz ganz eingenommen,
Komm, gib mir die Demütigkeit
Und jungfräuliche Würdigkeit,
Mit welcher du ihn hast bewogen,
Daß er in dich ist eingezogen.

3

Ihr Seraphim, entzündet mich
Mit euren reinen Flammen.
Ihr Cherubim, tragt häufiglich
Verstand und Witz zusammen.
Ihr Throne setzet mich in Ruh,
Ihr Fürsten schenkt die Pracht dazu.
Ihr Engel alle helft mich zieren
Und so zu meinem Bräutigam führen.

4

Ihr Väter, die von Adams Stamm
Vor Christo sind entsprungen,
Und ihr Propheten allesamm,
Die vor von ihm gesungen,
Schenkt eure Hoffnung meinem Geist,
Die euch beständig hat gespeist.
Gebt euren Glauben mir zu eigen,
Daß ich mich Jesu möge zeigen.

5

Ihr Zwölfe, die ihr allzumal
Sein Antlitz hier bedienet,
Und ihr Bekenner ohne Zahl,
Die ihm zu Ehrn gegrünet,
Kommt, helfet mir mit eurem Licht,
Daß ich das schönste Angesicht
Des allerliebsten Jesu schaue
Und ihm zu nahen mir getraue.

6

Ihr Märtyrer, gebt mir den Sieg,
Mit dem ihr durchgedrungen,
Gebt mir die Kraft, durch die der Krieg
Euch ist so wohl gelungen,
Auf daß ich als ein kühner Held
Entgegen geh vor aller Welt
Dem, der mit einem Mund von Rosen
Mich ewiglich kommt liebzukosen.

7

Ihr Jungfern alle, die dem Lamm
Zu folgen sich ergeben
Und Jesum, ihren Bräutigam,
Mit neuem Ton erheben,

Kommt, gebt mir euer weißes Kleid
Und unbefleckte Reinigkeit,
Daß ich wie eine Lilie blühe
Und meinen Bräutgam zu mir ziehe.

8

Ihr andren Alle, die ihr seid
Zum Herren eingegangen
Und in der süßen Seligkeit
Mit ewger Lust umfangen,
Begabet mich mit eurer Zier
Und himmelischer Liebsbegier,
Daß ich mich frei darf unterstehen,
In seine Kammer einzugehen.

9

Du aber, an dem allermeist
Das ganze Werk gelegen,
Du großer Gott, du heilger Geist,
Sprich du hierzu den Segen.
Trau du mich selbst dem Bräutigam,
Dem honigsüßen Gotteslamm,
Daß ich seins Mundes Kuß genieße
Und ewiglich davon zerfließe.

XCVII

Sie empfängt ihn und verwundert sich, daß er zu ihr kommt

1

Sei willkommen, liebster Freund,
Du hoch verlangter Gast,
Der du mich so treu gemeint
Und nicht verschmähet hast.
Sei willkommen, wahrer Gott,
Gebenedeites Brot,
Sei willkomm'n in meiner Höhle,
Liebstes Leben, liebste Seele.

173

2

Allerhöchste Majestät,
Wie neigst du dich so tief!
Daß du kommst vons Himmels Stätt
In meines Munds Begriff!
Daß du dir, o Gottes Sohn,
In mir suchst einen Thron!
Daß du solche Gnad und Güte
Antust dieser irdnen Hütte!

3

Wie empfah ich dich, mein Licht,
Du ewger Herr und Gott?
Wie vergelt ich solche Pflicht,
Ich armer Staub und Kot?
Was für Ehr erzeig ich dir,
Daß du selbst kommst zu mir?
Daß ich dich nun gar kann küssen
Und dein Leib und Blut genießen.

4

Schau, ich beuge meine Knie
Und werfe mich vor dich,
Daß du mögest je und je
Gebieten über mich.
Nimm mein Herz, o Jesu, an
Und was ich hab und kann;
Denn mit hunderttausend Zungen
Wirst du nicht genug besungen.

5

Ach, mein liebster Seelenschatz,
Gib mir nun deine Kraft.
Wässre meines Herzens Platz
Mit deines Herzens Saft.
Hilf, daß meine Seel und Leib
Dir ganz vereinigt bleib.

Ich verspreche, dich dort oben
Ewiglich dafür zu loben.

XCVIII

Sie verwundert sich über der Liebe im heiligen Sakrament erzeigt

1

Du Wunderbrot, du wahrer Gott,
Wer kann die Lieb ermessen,
Daß du dich hier selbst gibest mir,
Mit Leib und Seel zu essen.

2

Kein Cherubin, kein Seraphin
Kann je dazu gelangen,
Und ich soll dich wahrhaftiglich
Mit meinem Mund empfangen.

3

O große Gnad, o Wundertat!
O Neigung, hoch zu schätzen!
Was bin denn ich, daß du Herr, dich
Bei mir denkst zu ergötzen?

4

Du hast mich zwar geschaffen gar
Zu deinem Ebenbilde;
Doch weiß ich nicht, wie's mir geschicht,
Daß ich dich seh so milde?

5

O Jesu Christ, wie groß du bist,
So groß sind auch die Flammen,
Die deine Lieb aus heißem Trieb
Trägt über mich zusammen.

6

Ich sag dir Dank mit Lobgesang,
Ich preise deine Güte
Für solche Huld ohn alle Schuld,
Du liebliches Gemüte.

7

Ich ruf dich an, so sehr ich kann,
O Geber und auch Gabe.
Gib mir, daß ich dich würdiglich
In meinem Herzen habe.

IC
Sie singt ihm das Lied der Jungfrauen Mariae

1

Meine Seel macht groß den Herrn,
Preist und rühmt ihn weit und fern,
Und mein Geist springt auf vor Freuden
Ob dem Heiland meiner Leiden.

2

Weil er die Demütigkeit
Seiner Magd hat benedeit,
Schau, nun wird mich selig preisen
Alls Geschlecht auf allen Kreisen.

3

Denn er hat mir groß getan,
Dessen Macht man betet an,
Dessen Name heilig nennet,
Wer ihn nur von ferne kennet.

4

Seines Herzens Gütigkeit
Läßt er spüren weit und breit
Über alle, die ihn ehren
Und mit Furcht sein Wort anhören.

5

Seines Armes Stärk und Macht
Hat er nun recht angebracht,
Hat zerstreut die stolzen Sinnen,
Daß sie sich nicht rühmen können.

6

Was sich selbst setzt auf den Thron,
Stürzet er und stößt davon.
Aber was in Demut lebet,
Nimmt er auf, hälts und erhebet.

7

Er erfüllt und machet satt
Alles, was nur Hunger hat,
Läßt hergegen leer gehen,
Die sich dünken wohl zu stehen.

8

Er vergißt zur rechten Zeit
Nimmer der Barmherzigkeit,
Denn er hat vom Tal bis oben
Israel, sein Kind, erhoben.

9

Wie er unsrer Väter Schar,
Abraham und allen gar,
Daß es nie soll sein gebrochen,
Bis auf ewig hat versprochen.

10

Ehr sei Vater, Sohn und Geist,
Allen dreien gleich erweist,
Wie es war und jetzt ist eben
Und wird sein im ewgen Leben.

C

Sie begehrt ihn mit tausend Herzen zu lieben

1

Dein eigne Liebe zwinget mich,
Mein Jesu, hoch zu lieben dich.
Ich flamm und brenn allein nach dir
Mit unaussprechlicher Begier.
O du herzgeliebter Gott,
Wenn mir tausend Herzen blieben,
Wollt ich dich mit allen lieben!

2

Ich weiß von keinem andern Schatz
Auf Himmels und der Erden Platz.
Ich habe dich allein erkorn,
Dich, der du mir bist Mensch geborn.
O du herzgeliebter Gott,
Wenn mir tausend Herzen blieben,
Wollt ich dich mit allen lieben!

3

Du hast aus Liebe Knechtsgestalt
An dich genommen mannigfalt.
Aus Liebe hast du in der Zeit
Dich in ein Lämmelein verkleidt.
O du herzgeliebter Gott,
Wenn mir tausend Herzen blieben,
Wollt ich dich mit allen lieben!

4

Du hast gelitten alle Pein,
Die über mich sollt ewig sein.
Du hast getragen all mein Joch,
Und was noch mehr, du trägst es noch.
O du herzgeliebter Gott,
Wenn mir tausend Herzen blieben,
Wollt ich dich mit allen lieben!

5

Du gibest dich für mich in Tod,
Du opferst dich dem zorngen Gott.
Du speisest mich, o höchstes Gut,
Mit deinem Leib und deinem Blut.
O du herzgeliebter Gott,
Wenn mir tausend Herzen blieben,
Wollt ich dich mit allen lieben!

6

Du machst mein Herz voll Süßigkeit,
Voll ewigs Leben, voller Freud.
Ach, daß ich nicht ganz feurig bin
Und dich mehr lieb als Seraphin!
Denn, o herzgeliebter Gott,
Wenn mir tausend Herzen blieben,
Wollt ich dich mit allen lieben!

CI

Sie begehrt Johannes zu sein und an der Brust Jesu zu ruhen

1

Du Sabbat aller frommen Seelen,
Du meines Geistes wahre Ruh,
Ich sehne mich in jedem Nu
In dein Umfahung zu verhöhlen.
Ach, laß mich doch Johannes sein,
Schließ mich in deinen Armen ein.

2

Von dir, o Jesu, sein umfangen
Und ruhn an deiner keuschen Brust,
Macht ewge Freud und ewge Lust
Und stillet alle das Verlangen.
Drum laß mich doch Johannes sein,
Schließ mich in deinen Armen ein.

3

Wie inniglich muß sich ergötzen
Die Seele, die du hast umschränkt!
Wenn sie kein Ding mehr irrt und kränkt,
Kein Feind noch Unglück kann verletzen.
O laß mich doch Johannes sein,
Schließ mich in deinen Armen ein.

4

Ach, daß ich ewig sollte liegen
An deiner Brust, du höchstes Gut!
Es würde meinen Sinn und Mut
Mehr, als ich sagen kann, vergnügen.
Ei, laß mich doch Johannes sein,
Schließ mich in deinen Armen ein.

5

O ewger Sabbat meiner Seele,
Mein Jesu, lasse mir doch zu,
Daß ich an deiner Brust mit Ruh
Sabbatisier und mich verhöhle.
Laß doch auch mich Johannes sein,
Schließ mich in deinen Armen ein.

CII

Sie schenkt sich ihrem Bräutigam

1

Nun nimm mein Herz und alles, was ich bin,
Von mir zu dir, mein liebster Jesu, hin.
Ich will nun dein
Mit Leib und Seele sein,
Mein Reden, Tun und Dichten
Nach deinem Willen richten.

2

Du tränkest mich mit lauter Milch und Wein,
Du schenkest mir den Brunn des Lebens ein.
O edles Bild,
Du bist so süß und mild,
Daß ich stets drauf gedenke,
Wie ich mich dir ganz schenke.

3

Drum schau, ich will in Zeit und Ewigkeit
Dein Wohlgefalln zu lieben sein bereit.
Willst du mich tot,
So sterb ich gern, mein Gott;
Willst du, daß ich soll leben,
Will ich mich drein ergeben.

4

Du aber sollst auch wieder meine sein
Und ganz und gar komm'n in mein Herz hinein.
Sollst sein mein Gott
Und Trost in aller Not,
Sollst mich dir einverleiben
Und ewger Bräutgam bleiben.

CIII

Jesus ist ihr alles

1

Nun will ich mich scheiden von allen Dingen
Und mich zu meinem Bräutgam schwingen,
Denn ihn allein hab ich erkiest.
Nichts kann im Himmel und auf Erden
Gefunden und genennet werden,
Daß er mir selbst nicht alles ist.

2

Ein anderer mag sich mit eitlen Schätzen,
So viel er immer kann, ergötzen,
Ich habe keinen Schatz als ihn.
Mein Dichten, Trachten und mein Sinnen
Und alles, was ich kann beginnen,
Geht nur nach meinem Jesu hin.

3

O Tausendgeliebter, du bist alleine,
Den ich von Grund des Herzens meine,
Du bist mir, was ich nur begehr.
Du bist mein Labsal, mein Getränke,
Mein Wunsch und was ich nur gedenke,
Mein Lebensbrunn und süßes Meer.

4

Du bist mein gnädiger Abendregen,
Mein hochgewünschter Morgensegen,
Du bist mein süßer Himmelstau.
Durch deinen Saft blüht meine Seele
In ihrer dürren Leibeshöhle
Wie eine Blum auf grüner Au.

5

Du bist mein erfreuliche Morgenröte,
Mein Abendstern, durch den ich töte
Die Traurigkeit der finstern Nacht.
Du bist mein Mond und meine Sonne,
Mein Augentrost und alle Wonne,
Die der gestirnte Himmel macht.

6

Du gibst mir alleine dieselben Schätze,
Durch die ich mich zufrieden setze,
Du bist mein Silber und mein Gold.
Ich achte höher dich alleine
Als Perlen und all Edelsteine
Und was von Fernen wird geholt.

7

Du bist mir ein blühender Rosengarten,
Ein Feld voll Blumen schönster Arten,
Ein Acker voller grüner Saat.
Du bist mein Lustwald, meine Weide,
Bist mein Gebirge, meine Heide,
Mein Land, das Milch und Honig hat.

8

O ewiglich blühender Nazarener,
Ich finde nichts dir gleich und schöner,
Du bist mein schönster Lilienzweig.
Du kannst viel besser mich erfreuen
Als tausend Tulpen in dem Maien
Und aller Gärten Schmuck und Zeug.

9

Du bist mir viel Wiesen und grüne Matten,
Mein Apfelbaum und lieber Schatten,
Den ich ganz inniglich begehr.
Auf dir, mein Bett und samtnes Kissen,
Kann ich der besten Ruh genießen,
Drum komm doch eilends zu mir her.

10

Du bist mir das lieblichste Musizieren,
Mein Jubel und mein Triumphieren,
Mein Zymbelton und Lustgesang.
Dich hör ich lieber als Trompeten,
Als Orgeln, Zinken und als Flöten,
Als Saitenspiel und Lautenklang.

11

Du speisest mein Herze mit Süßigkeiten,
Die keine Welt kann zubereiten,
An dir eß ich mich nimmer satt.
Du bist das Lusthaus meiner Sinnen,
Ein starker Turm und Schloß, darinnen
Mein Seelchen seine Wohnung hat.

12

Ich frage nun wenig mehr nach dem Himmel,
Nach Edens Lust und Weltgetümmel,
Du bist mir eine ganze Welt.
Du bist der Himmel, den ich meine,
Das Paradeis, das mir alleine
Vor allen andern wohlgefällt.

13

Es wird mir erwecken viel tausend Freuden,
Wenn ich von hinnen werde scheiden
Und kommen soll vor deinen Thron.
Dann wirst du mich in dich erheben
Und ewiglich zu schmecken geben,
Wie du bist all mein Gut und Lohn.

CIV

Sie wünscht alles zu sein ihrem Jesu

1

Ach, wer gibt mir noch auf Erden
Engelssitten und Geberden?
Daß ich meinem Bräutigam,
Der von königlichem Stamm,
Wohl geschmücket in die Höh,
Wenn er kommt, entgegen geh.

2

Meine Seele wünscht, vor allen
Ihrem Jesu zu gefallen,
Und darum begehrt sie ihr
Aller Dinge Pracht und Zier,
Daß sie ihme möcht allein
Aller Schönheit Ausbund sein.

3

Wenn sie schauet in den Maien,
Daß die Wiesen sich verneuen
Und so fein und wunderschön
Die beblümten Felder stehn,
So verlangt sie ihm zu sein
Eine Welt voll Blümelein.

4

Ach, ach, spricht sie, möcht ich werden
Wie die bunte Frühlingserden!
Möchte doch mein Herz allein
Hunderttausend Rosen sein
Und die Brust wie Lilien weiß,
Das vor allem hat den Preis.

5

Oder wär ich wie Narcissen
Bei den stillen Wasserflüssen!
Oder wie ein Hyazinth,
Den man himmelfarben findt!
Und wie niedrige Violn,
Die man muß im Grase holn.

6

Oder wär ich wie ein Garten
Voll Gewürze bester Arten!
Daß mein Jesus für und für
Sich ergötzen könnt in mir
Und mit Lust stets bei mir sein,
Wie in einem ewgen Mai'n.

7

Ofte wünsch ich aller Dingen
Wie ein edler Brunn zu springen.
Ofte wünsch ich, daß ich wär
Eine See und ganzes Meer,
Voller Gottes Süßigkeit,
Ihme zur Ergötzlichkeit.

8

Ach, wer wird mein Herz bereiten,
Daß es sei zu allen Zeiten
Wie die Sänfte Salomons
Und die Wonne seines Throns,
Wie sein Bett, um dessen Pracht
Sechzig Starke halten Wacht.

9

Oder daß ich ihn erfreue
Wie Jerusalem, das neue.
Oder wie ein Paradeis,
Das von keiner Unruh weiß.
Oder wie ein schöner Saal,
Den man lobet überall.

10

Oder wie ein Flammenwagen,
Den die Seraphine tragen.
Oder wie ein güldner Schrein,
Oder wie Karfunkelstein.
Oder wie die Perlen sind,
Welche man im Aufgang findt.

11

Endlich wünsch ich mir, zu haben
Solche Heiligkeit und Gaben
Wie die Jungfrau und die Braut,
Die dem Joseph war vertraut,
Daß das ewge Wort in mir
Jesus würde, wie in ihr.

12

O du Geist der großen Güte,
Überschatte mein Gemüte,
Denn auch ich bin deine Magd,
Die von Herzen zu dir sagt:
Mir gescheh nach deinem Wort
Immer und in jedem Ort.

13

Komm doch, Jesu, mein Verlangen,
Laß mich meine Seel umfangen,
Daß sie dich gebär in ihr
Und frohlockend über dir
Sich erfreue nach der Zeit
In der süßen Ewigkeit.

CV
Sie hält ihn für ihren besten Freund

1

Jesus ist der beste Freund,
Der uns ewig treu verbleibet,
Der es recht von Herzen meint,
Den kein Ungelück vertreibet.
Kommt gleich Trübsal, Angst und Not,
Hunger, Kummer, Schmach und Spott,
Er bleibet bis in Tod.

2

Er steht vornen an im Streit,
Wenn die Feind uns wolln bekriegen,
Gibt uns Mut und Tapferkeit,
Daß wir sie durch ihn besiegen.
Er ist unser Schirm und Schild,
Unsre Hoffnung, die uns stillt,
Wenn Leviathan brüllt.

3

Er vergießt sein eigen Blut,
Läßt sich selber für uns töten,
Spricht für unsre Schulden gut,
Uns zu helfen aus den Nöten.
Er verträgt uns mit Geduld,
Zahlt für uns mit barem Gold
Und ist uns immer hold.

4

Nimmer läßt er von uns ab,
Wo wir ihn beständig lieben.
Folgt uns nach bis in das Grab,
Wo nur wir ihm treu geblieben.
Seine große Gütigkeit,
Seine Treu und Freundlichkeit
Vermindert keine Zeit.

5

Drum will ich mein Herz und Sinn
Ihm alleine ganz vertrauen,
Mein Gemüte soll forthin
Nur auf ihn alleine bauen.
Jesus soll in aller Not,
Hier im Leben und im Tod,
Mein Freund sein und mein Gott.

CVI

Sie jubiliert über ihn mit den Hirten

1

Die Psyche

Ich bin voller Trost und Freuden
Und vergeh vor Fröhlichkeit,
Süße wird mir alles Leiden,
Kurz das Elend dieser Zeit.
Mein Geblüte kocht in mir
Und das Herz zerspringet schier.

2

Die Hirten

Was bedeut dein Jubilieren,
Du verliebte Schäferin?
Wessentwegen läßt du spüren
Solche Freud in deinem Sinn?

Hast du deinen Schatz gesehn
Oder was ist sonst geschehn?

3

Die Psyche

Ach, wie soll ich mich nicht freuen!
Weil mich der zur Braut erkiest,
Der die Erde wird verneuen
Und des Himmels Erbherr ist.
Der mir so viel Guts getan
Und mich nimmer hassen kann.

4

Die Hirten

Billig bist du hoch erfreuet,
Weil dich der so innig liebt,
Der den Himmel benedeiet
Und der Welt das Leben gibt.
O du königliche Braut,
Die Gott selbsten ist vertraut.

5

Die Psyche

Auf die Erden ist er kommen
Als ein armes Knäbelein,
Hat den Fluch auf sich genommen
Und gelitten meine Pein.
O der großen Wundertat!
Schaut, wie er geliebet hat.

6

Die Hirten

Selig müssen wir dich preisen,
Weil sich Gott zu dir geneigt
Und mit unerhörten Weisen
Solche große Lieb erzeigt.
Selig bist du, Schäferin,
Selig ist dein Herz und Sinn.

7

Die Psyche

Selig bin ich alle Stunden,
Voller Trosts und herzlich froh,
Weil ich habe den gefunden,
Der das Alpha ist und O,
Der den Schlüssel Davids hat
Und mir zeigt den Himmelspfad.

8

Die Hirten

Du hast funden deine Sonne,
Die dir Licht und Leben gibt,
Deine Freude, deine Wonne,
O wie wohl hast du geliebt!
Deiner Liebe Lohn und Kron
Ist des höchsten Gottes Sohn.

9

Die Psyche

O wie wohl hab ichs getroffen,
Wie gefällt mir doch dies Spiel!
Seine Wunden stehn mir offen,
Ich kann eingehn, wenn ich will.
Seine Hände zeigen mir
Des verliebten Herzens Tür.

10

Die Hirten

Geh in diesen Ort der Freuden,
Werte Psyche, trink den Wein,
Den dir Jesus hat bescheiden,
Bis du ganz wirst trunken sein.
Geh in seine süße Brust
Und genieß des Himmels Lust.

11

Die Psyche

Was für Freude, was für Wonne
Hat ein Herz, das Jesum liebt!
Kommt und trinkt aus diesem Bronne,
Der euch alls umsonste gibt.
Seiner Liebe Süßigkeit
Übertrifft den Honig weit.

12

Die Hirten

Kommt, wir wollen alle trinken,
Bis wir werden trunken sein,
Bis wir ganz und gar versinken
In dem Quell und in dem Wein.
Bis uns Red und Wort gebricht
Und sich keiner kennet nicht.

13

Die Psyche

Ach, wie gerne wollt ich wissen,
Wo denn nun mein Jesus ist?
Den ich ewig soll genießen,
Der mich hat zur Braut erkiest,
Der mir solche Süßigkeit,
Als kein andrer, hat bereit.

14

Der süße Jesus

Siehst du mich nicht, meine Freude,
Meine Braut, mein Täubelein?
Siehst du nicht, wie treu ich weide
Deine blöden Schäfelein?
Nimmermehr weich ich von dir,
Wo nur du verbleibst bei mir.

15

Die Psyche

Ach, das ist des Bräutgams Stimme!
Ach mein Jesus, das bist du,
Der dem Wolf und seinem Grimme
Widersteht bis heute zu.
Ach mein Lieb, umfahe mich,
Weil ich einzig liebe dich.

16

Jesus

Bleib beständig und getreue,
Hochgeliebte Schäferin,
Bis ich völlig dich erfreue
Und dich grüße, Königin.
Dann wird meiner Gottheit Schein
In und um dich ewig sein.

17

Die Psyche

Ja, ich will beständig bleiben,
Allerliebster, und mich dir
Ewig treu zu sein verschreiben,
Will dir dienen für und für.
Meine Seele soll allein
Nur in dich verliebet sein.

18

Die Hirten mit der Psyche

Ei, so laßt uns alle singen
Und ein süßes Hirtenlied
Unsrem lieben Jesu bringen,
Der so herzlich sich bemüht,
Daß ein arme Schäferin
Sei sein Schatz und Königin.

19

Ihm sei Lob von allen Zungen
Und vom Gräslein auf der Au.
Seine Güte sei besungen
Von den Töpflein in dem Tau.
Ihm sei Preis und Herrlichkeit
Jetzo und in Ewigkeit.

CVII

Sie ergibt sich der ewigen Liebe

1

Liebe, die du mich zum Bilde
Deiner Gottheit hast gemacht,
Liebe, die du mich so milde
Nach dem Fall hast wieder bracht.
Liebe, dir ergeb ich mich,
Dein zu bleiben ewiglich.

2

Liebe, die du mich erkoren,
Eh als ich geschaffen war,
Liebe, die du Mensch geboren
Und mir gleich wardst ganz und gar.
Liebe, dir ergeb ich mich,
Dein zu bleiben ewiglich.

3

Liebe, die für mich gelitten
Und gestorben in der Zeit,
Liebe, die mir hat erstritten
Ewge Lust und Seligkeit.
Liebe, dir ergeb ich mich,
Dein zu bleiben ewiglich.

4

Liebe, die mich hat gebunden
An ihr Joch mit Leib und Sinn,
Liebe, die mich überwunden
Und mein Herze hat dahin,
Liebe, dir ergeb ich mich,
Dein zu bleiben ewiglich.

5

Liebe, die mich ewig liebet,
Die für meine Seele bitt,
Liebe, die das Lösgeld gibet
Und mich kräftiglich vertritt.
Liebe, dir ergeb ich mich,
Dein zu bleiben ewiglich.

6

Liebe, die mich wird erwecken
Aus dem Grab der Sterblichkeit,
Liebe, die mich wird umstecken
Mit dem Laub der Herrlichkeit,
Liebe, dir ergeb ich mich,
Dein zu bleiben ewiglich.

CVIII

Jesus ist ihr der Allersüßeste

1

Jesus, der süße Lebenswein,
Nimmt meinen Geist so mächtig ein,
Daß er sonst nichts mag trinken.

Er ruft und schreit mit voller Brust,
Ach möcht ich doch in diesem Most
Nur ganz und gar versinken.

2

Nunmehr begehr ich keine Tracht,
Die auf der Götter Tisch wird bracht,
Will auch nicht ihr Getränke.
Denn Jesus, der mich speist, ist ja
Viel süßer als Ambrosia
Und was ich je gedenke.

3

Weg mit den Blumen auf der Au,
Mit Honig und mit Maientau,
Mit Manna und was süße.
Mein Jesus ist mein Tau allein,
Mein Honig, Manna, Blümelein,
Den ich für alls genieße.

4

Ach, daß ich doch nur möchte sein
Gleich wie ein kluges Bienelein,
So wollt ich mich erheben.
Ich hinge mich an seine Brust
Und bliebe da nach Wunsch und Lust,
Bis ich zerfließe, kleben.

5

Jesu, so hilf mir doch dazu,
Daß ich schon jetzt darinnen ruh
Auf himmelische Weise.
Du bleibest doch in Ewigkeit
Meins Herzens Trost und Süßigkeit,
Mein bester Trank und Speise.

CIX
Sie erwägt seine Lieblichkeit an den Kreaturen

1

Keine Schönheit hat die Welt,
Die mir nicht vor Augen stellt
Meinen schönsten Jesum Christ,
Der der Schönheit Ursprung ist.

2

Wenn die Morgenröt entsteht
Und die güldne Sonn aufgeht,
So erinner ich mich bald
Seiner himmlischen Gestalt.

3

Ofte denk ich an sein Licht,
Wenn der frühe Tag anbricht.
Ach, was ist für Herrlichkeit
In dem Licht der Ewigkeit.

4

Seh ich dann den Mondenschein
Und des Himmels Äugelein,
So gedenk ich, der dies macht,
Hat viel tausend größre Pracht.

5

Schau ich in dem Frühling an
Unsern bunten Wiesenplan,
So bewegt es mich zu schrein:
Ach, wie muß der Schöpfer sein!

6

Schöne gleißt der Gärten Ruhm,
Die erhabne Lilienblum.
Aber noch viel schöner ist
Meine Lilie, Jesus Christ.

7

Wenn ich sehe, wie so schön
Weiß und rot die Rosen stehn,
So gedenk ich, weiß und rot
Ist mein Bräutigam und Gott.

8

Ja, in allen Blümelein,
Wie sie immer mögen sein,
Wird gar hell und klar gespürt
Dessen Schönheit, der sie ziert.

9

Wenn ich zu dem Quellbrunn geh
Oder bei dem Bächlein steh,
So versenkt sich stracks in ihn,
Als den reinsten Quell, mein Sinn.

10

Meine Schäflein machen mich
Oft erseufzen inniglich:
Ach, wie mild ist Gottes Lamm,
Meiner Seelen Bräutigam.

11

Nie wird Honig oder Most
Oder Tau von mir gekost,
Daß mein Herz nicht nach ihm schreit,
Als der ersten Süßigkeit.

12

Lieblich singt die Nachtigall,
Süße klingt der Flöten Schall.
Aber über allen Ton
Ist das Wort: Marien Sohn.

13

Anmut gibt es in der Luft,
Wenn die Echo wieder ruft.
Aber nichts ist überall
Wie des Liebsten Widerschall.

14

Ei nun, Schönster, komm herfür,
Komm und zeig dich selbsten mir.
Laß mich sehn dein eigen Licht
Und dein bloßes Angesicht.

15

O, daß deiner Gottheit Glanz
Meinen Geist umgebe ganz!
Und der Strahl der Herrlichkeit
Mich verzückt aus Ort und Zeit!

16

Ach, mein Jesu, nimm doch hin,
Was mir decket Geist und Sinn!
Daß ich dich zu jeder Frist
Sehe, wie du selber bist.

CX

Sie freut sich über seiner Herrlichkeit

1

Ach Gott, was hat für Herrlichkeit,
Für Majestät und Wonne
In seiner großen Seligkeit
Mein Jesus, meine Sonne.
Die Kaiser und Könige reichen ihm dar
All ihre Szepter und Kronen,
Viel tausendmal tausend in mächtiger Schar
Sind, die ihm dienen und fronen.

2

Er herrschet über Cherubim,
Gebeut den Tiefen allen.
Die Thronen und die Seraphim
Schaun auf sein Wohlgefallen.
Die Helden und Martyrer warten ihm auf,
Die Väter falln vor ihm nieder,
Die Jungfern, die singen mit künstlichem Lauf
Die allerlieblichsten Lieder.

3

Er ist dem Vater gleich an Macht,
Er sitzt auf seinem Throne.
Er trägt der ganzen Gottheit Pracht
Auf seines Hauptes Krone.
Die Himmel der Himmel begreifen ihn nicht,
Er reicht von Ende zu Ende.
Die Mächtigen leisten ihm schuldige Pflicht
Und alle himmlischen Stände.

4

Sein Antlitz leucht wie Sonn und Schnee
Und tausend Morgensterne,
Glänzt wie der Aufgang in der Höh
Und wie der Blitz von ferne.
Die Engel und Menschen, die schauen ihn an
Mit unaussprechlichen Freuden.
O selig und abermal selig, wer kann
Sein Herz und Sinne da weiden.

5

Und alles dieses soll auch ich
Mit hunderttausend Küssen
In seinen Armen ewiglich
Empfinden und genießen.
Die Freude, die Wonne, die ewige Lust,
Die er mir dorten wird geben,
Ist weder dem Herzen noch Sinnen bewußt
In diesem sterblichen Leben.

6

Drum will ich froh und fröhlich sein
Und guten Mut mir fassen,
Ich will in allem Kreuz und Pein
Mich auf sein Wort verlassen.
Er wird mir nach dieser betrübeten Zeit
In seinem ewigen Maien
Schon wieder ersetzen das wenige Leid
Und unaufhörlich erfreuen.

CXI

Sie freut sich wegen der letzten Zukunft ihres Geliebten

1

Frisch auf, laßt uns nun freun,
Der König wird bald kommen,
Der mir mein Herz genommen,
Ich kann nicht traurig sein.
Gelobt sei Gott im höchsten Thron
Mit unsrem Jesu, seinem Sohn.

2

O Wort, das mich ergötzt!
O Trost, o Lust, o Wonne!
O freudenreiche Sonne,
Die mich in Ruhe setzt!
O Jesu, wie hör ich so gern,
Daß du nun bist von mir nicht fern.

3

Wie oft hab ich nach dir
Und deinem Hochzeittage
Geseufzt mit großer Klage,
Du, meine güldne Zier.
Nun wird sich enden alles Leid
Und kommen lauter Seligkeit.

4

O Gott, was wird es sein,
Wenn du mich wirst erheben
Und ewiglich umgeben
Mit deinem Glanz und Schein!
O Jesu, was für Herrlichkeit
Ist meiner Seelen zubereit!

5

Wie ists? Hör ich noch nicht,
Daß die Trompeten schallen
Und unser Wohlgefallen,
Der ewge Tag, anbricht?
Ach Gott, wie lange dünkt mich doch
Dies Leben! und wie schwer mein Joch!

6

Ach mein, ach komm doch bald,
Du Wonne meiner Seele!
Nimm mich aus dieser Höhle
Zu dir, mein Aufenthalt.
O Jesu, Jesu, komm doch heut
Und führ mich in die Ewigkeit.

CXII

Sie ist fröhlich in Jesu ihrem Gott

1

Ich will mich freun und fröhlich sein
In Jesu, meinem Gott,
Denn er versüßet meine Pein
Und hilfet mir aus Not.
Er wird mich vom Bösen
Vollkömmlich erlösen,

Verkehren mein Leid
In ewige Freud
Und geben alle Seligkeit.

2

Ich will ihn rühmen wonniglich
Mit ungefälschtem Mund,
Will sagen, wie so mildiglich
Er nachkömmt seinem Bund.
Ich will ihm lobsingen,
Verehrungen bringen,
Mein Herz und mein Sinn
Soll denken auf ihn,
So lang ich leb und etwas bin.

3

Er schmückt und krönet meine Seel
Mit seiner Herrlichkeit,
Begabet meinen Leib, die Höhl,
Mit großer Gütigkeit.
Er lässet die Sonne
Der himmlischen Wonne
Ermuntern den Geist,
Daß er sich befleißt,
Gott anzuhangen allermeist.

4

Drum will ich froh und fröhlich sein
In Jesu, meinem Gott.
Ich will sein Lob und Ruhm ausschrein,
Ihn preisen bis in Tod.
Ich will ihm stets danken,
So lang ich im Schranken
Der Sterblichkeit bin,
Und rufen forthin:
In Gott sich freun ist mein Gewinn.

CXIII

Sie preist seine Gütigkeit

1

Niemand ist zu jeder Frist
Auf der ganzen weiten Welt,
Niemand in des Himmels Zelt,
Der so gut als Jesus ist.
Seines Geistes Gütigkeit
Währet bis in Ewigkeit.

2

Seinen lieben Sonnenschein
Läßt er alle Tag aufgehn
Und sein' Engel bei uns stehn,
Daß sie unsre Wächter sein.
Seines Geistes Gütigkeit
Währet bis in Ewigkeit.

3

Er ernähret unser Vieh,
Spreitet über Feld und Au
Einen fruchtbarn Perlentau,
Gibet Regen spät und früh.
Seines Geistes Gütigkeit
Währet bis in Ewigkeit.

4

Mein und meiner Väter Schuld
Hat er selbst bezahlt für mich
Und zum Pfand erboten sich,
Daß mir Gott nun worden huld.
Seines Geistes Gütigkeit
Währet bis in Ewigkeit.

5

Ja, sein Blut, den Götterwein,
Und sein Fleisch, das Himmelbrot,
Gibt er mir, will bis in Tod
Selbsten um und bei mir sein.
Seines Geistes Gütigkeit
Währet bis in Ewigkeit.

6

Endlich will er mich mit sich
In sein himmlisch Reich einführen
Und mit seiner Gottheit zieren,
Daß er ewig liebe mich.
Denn seins Geistes Gütigkeit
Währet bis in Ewigkeit.

CXIV

Sie befiehlt sich ihm bei angehender Nacht

1

Dieweil nunmehr die finstre Nacht
Der Sternen Heer führt auf die Wacht,
Und Phöbus seinen Glanz
Vor uns verbirget ganz,
So will ich mich zu dir,
Mein Leitstern Jesu, wenden
Und diesen Tag vollenden
Mit himmlischer Begier.

2

Ich sage dir von Herzen Dank
Mit aller Heilgen Lobgesang
Für alls, was deine Gnad
Mir heut erzeiget hat.

Und so ich was vor dir,
Das sündlich ist, gehandelt
Und ärgerlich gewandelt,
Bitt ich, vergib es mir.

3

Ich lege mich mit heilger Lust
Auf deiner Menschheit offne Brust,
Damit du mir den Wein
Deins Herzens flößest ein.
Laß mich, o süßes Bild,
In deinen keuschen Armen
Entschlafen und erwarmen
Und ruhn, so lang du willt.

4

Laß meinen Sinnen für und für
Nichts anders träumen als von dir.
Bei dir, mein Schatz, allein
Laß mein Gemüte sein.
Laß deiner Engel Schar
Mein Leib und Seel bewachen,
Daß mir vom höllschen Drachen
Kein Unglück widerfahr.

5

Und so du etwan meine Seel
Willst nehmen aus des Leibes Höhl,
O allerliebstes Licht,
So denk an deine Pflicht.
Laß mich im selben Nun
Auf einem Engelswagen
Ins Paradeis hin tragen,
Daß ich mög ewig ruhn.

CXV
Sie freut sich, daß er sie wird ewig selig machen

1

Kommet zusammen, ihr Hirtinnen alle,
Lobet und danket mit jauchzendem Schalle.
Jesus, mein Bräutigam, wird mich erheben,
Immer und ewig bei ihme zu leben.

2

Alle die Feinde, die jetzt mit mir kriegen,
Werden mir nimmermehr können obsiegen.
Ja, er wird selbst, mir zu helfen am Ende,
Reichen sein allzeit geneigete Hände.

3

Königlich wird er mich krönen und zieren
Und zu dem Vater frohlockende führen.
Wird mich ihm zeigen und neben sich setzen,
Daß ich mit ihm mich werd ewig ergötzen.

4

Tausendmal, tausendmal wird er mich küssen
Und seine Lieblichkeit lassen genießen.
Tausendmal wird er mich freundlich anblicken
Und mit dem Lichte der Gottheit erquicken.

5

Ewige Klarheit und ewige Sonne,
Ewiger Jubel und ewige Wonne,
Ewige Schönheit und andere Gaben
Werd ich bei ihme, so viel ich will, haben.

6

Sollt ich denn nun mich nicht herzlich erfreuen,
Weil er so göttlich mich wird benedeien?
Sollt ich nicht immer ihn loben und preisen,
Daß er mir ewig wird solches erweisen?

7

Kommet derwegen, ihr Hirtinnen alle,
Lobet und preist ihn mit jauchzendem Schalle,
Weil er mich Arme so hoch wird erheben,
Daß ich in ewiger Lust werde schweben.

CXVI

Sie stimmt ihm die Saiten an

1

Ich will die Laute rühren
Und Jesu musizieren.
Ich will die Saiten zwingen
Und, was ich kann, drein singen.
Mit Herz und Mund erschallen,
Daß es soll widerhallen.
Die Laute will ich rühren
Und Jesu musizieren.

2

Ich will mein Herz erheben
Und in dem Himmel leben.
Ich will mich von der Erden
Und weltlichen Beschwerden
Zu meinem Liebsten schwingen
Und durch die Wolken dringen.
Mein Herz will ich erheben
Und in dem Himmel leben.

3

Ihr himmelischen Chöre,
Vergönnet mir die Ehre,
Daß ich mit euch vermenge
Mein arme Lobgesänge.

Daß ich mit euren Weisen
Den Herren möge preisen.
Vergönnet mir die Ehre,
Ihr himmelischen Chöre.

4

Ich wollt ihn gerne loben,
Wie ihr im Himmel droben.
Stimmt ein mit euren Flöten
Und ewigen Trompeten.
Er wird von meiner Zungen
Nicht schön genug besungen,
Drum wollt ich ihn gern loben,
Wie ihr im Himmel droben.

5

O Jesu, mach mich weise,
Daß ich dich würdig preise.
Laß meines Herzens Saiten
Durch deinen Geist bereiten.
Befeuchte meine Seele
Mit deiner Gottheit Öle,
Daß ich dich würdig preise,
O Jesu, mach mich weise!

CXVII

Sie dankt ihm für seine Wohltaten

1

Nun singet und klinget dem Höchsten zu Ehren,
Erschallet mit Freuden den besten Gesang.
Laßt alles, was lieblich und künstlich ist, hören
Dem allerbarmherzigsten Jesu zu Dank.
Bringt Palmen und Myrten,
Ihr Nachbarn und Hirten,

Bringt Blumen und Maien,
Bringt Flöten, Schalmeien,
Auf daß wir ihn krönen und loben mit Klang.

2

Erzählet mit fröhlichem Jauchzen und Freuden,
Daß alles im Anfang durch ihn ist gemacht.
Gedenket der Liebe, für uns so zu leiden,
Die ihn von dem Himmel auf Erden hat bracht.
Wir waren verloren,
So wird er geboren.
Wir waren verdorben,
So ist er gestorben
Und, uns zu erretten, am Kreuze verschmacht.

3

Er hat uns erlöset von Banden und Ketten,
Er hat uns gemachet den Siegenden gleich.
Hat unsere Feinde getöt und zertreten
Und hat uns geöffnet das himmlische Reich.
Er gibt uns in Schmerzen
Den Tröster der Herzen,
Er wird uns erheben
Ins ewige Leben
Und machen verlachen den feindlichen Streich.

4

O süßester Jesu, du ewige Güte,
Sei höchlich gelobet, gerühmt und gepreist.
Dir dank ich von Herzen und ganzem Gemüte
Für alle die Liebe, die du mir beweist.
Hilf, daß ich nicht sterbe,
Durch Sünden verderbe,
Damit ich dich droben
Mög ewiglich loben
Und schauen samt Vater und heiligem Geist.

CXVIII

Sie singt ihm einen Lobgesang

1

Dich, Jesu, loben wir,
Dich ehrn wir für und für.
Dir, o Jesu, wolln wir geben
Ruhm, Preis, Dank und Herrlichkeit
Hier durch unser ganzes Leben
Und darnach in Ewigkeit.

2

Du bist das ewge Licht
Und hast dich uns verpflicht.
Auf die Erden bist du kommen,
Da du wesentlicher Gott
Unsre Menschheit angenommen,
Uns zu retten aus der Not.

3

Du hast herum geeilt
Und unsre Sucht geheilt.
Unsre Last hast du getragen
Und mit unerhörter Huld
Aufgenommen alle Plagen,
Die die ganze Welt verschuldt.

4

Du hast den Feind zerstört
Und Gottes Reich gemehrt.
Siegreich hast du triumphieret
Und den Himmel aufgetan,
Hast die deinen drein geführet
Mit des heilgen Kreuzes Fahn.

5

Du sitzest Gotte gleich
Und hältst mit ihm das Reich.
Alles ist dir übergeben
Von dem Vater, du allein
Bist, der über Tod und Leben
Soll der einge Richter sein.

6

Dich ehrn die Seraphim,
Dich ehrn die Cherubim.
Dir zu Ehren schrein die Chöre:
Heilig, Heilig, Heilig ist,
Dessen Herrlichkeit und Ehre
Unvergleichlich, Jesu Christ.

7

Die Väter allzumal
Mit der Propheten Zahl
Und die Jünger, deine Lieben,
Danken deiner Gütigkeit,
Daß sie sind beständig blieben
Dir zu Ehren in der Zeit.

8

Die ganze Christenheit
Ist dich zu ehrn bereit,
Die Bekenner helfen alle
Deines Namens Ruhm vermehrn
Und die Kinder schrein mit Schalle
Das Osanna dir zu Ehrn.

9

Dich lobt auch in Gefahr
Der Märtrer treue Schar.

14*

Dir zu Ehren wird gestritten
Bis aufs Blut und bis in Tod
Und mit größtem Glimpf erlitten
Alle Schmach, Schimpf, Hohn und Spott.

10

Dir wohnen viel ganz frei
In öder Wüstenei,
Und viel tausend der Jungfrauen
Halten dir sich keusch und rein.
Alle, die den Himmel bauen,
Wollen deine Diener sein.

11

Der ganze Erdenkreis
Ist voll von deinem Preis.
Und der Himmel, da du sitzest,
Flammt von deiner Herrlichkeit;
Deiner Allmacht, wenn du blitzest,
Weichet alle Feindlichkeit.

12

O großer Herr und Gott,
Erbarm dich unsrer Not.
Schau, du König aller Zeiten,
Wie dein Volk bedränget ist,
Wie wir täglich müssen streiten
Mit des Feindes Macht und List.

13

Komm, nimm dich unsrer an,
Du starker Kriegesmann.
Hilf uns selig überwinden,
Daß wir unsren Lauf vollführn
Und mit dir, befreit von Sünden,
Unaufhörlich triumphiern.

CXIX

Sie jauchzt über ihn

1

Mein König und mein Gott, dir jauchzet meine Seele,
Dir musiziert mein Herz, dir tanzt mein Leib, die Höhle.
Dich rühmt und lobt mein Mund,
Dir springt vor Freuden hin und wieder
Das Leben aller meiner Glieder,
Dich preis ich alle Stund.

2

Dir opfr ich auf das Mark der Kräften und der Sinnen,
Dir eign ich zu allein mein Wirken und Beginnen.
Dir bin ich stets bedacht,
Wie ich dich herrlich möge preisen
Mit neuen Liedern, neuen Weisen,
Bei Tag und auch bei Nacht.

3

Du Freude meines Geists, du mein geliebtes Leben,
Du Zucker meines Munds, wie soll ich dich erheben?
Du bist mein Ruhm und Preis,
Mein Trost, mein Ehr und alle Wonne,
Mein Augenlicht und ewge Sonne,
Mein süßes Paradeis.

4

Du gibest mir in dir ganz seliglich zu wohnen,
Du setzest mich in Ruh wie deine Himmelsthronen.
Du hast das schöne Licht
Deins Angesichts auf mich geschrieben.
Du liebst und willst mich ewig lieben
Mit bräutgamlicher Pflicht.

5

Ich danke dir, du Brunn und Ausfluß alles Guten,
Daß du so milde bist auch über mein Vermuten.
Ich danke dir, mein Gott,
Ich will dich lieben und verehren
Und deines Namens Lob vermehren
Ganz treulich bis in Tod.

CXX

Sie muntert sich aus dem Getöne der Kreaturen zu seinem Lobe auf

1

Auf, meine Stimm und Saitenspiel,
Laß Jesu zu Ehren
Dich hurtiglich hören
Und mache seines Lobes viel.
Musiziere,
Figuriere,
Laß es schallen,
Daß die Wälder widerhallen.

2

Ihm singt und klingt die ganze Welt,
Ihn loben gar schöne
Mit süßem Getöne
Die Vöglein auf dem grünen Feld.
Alle schwirren,
Schrein und girren,
Alle preisen
Gott, das Wort, mit ihren Weisen.

3

Ihm saust und summt es überall,
Ihm wehen die Winde
Bald heftig, bald linde,
Ihm redet manches Berg und Tal.

Alle Lüfte,
Alle Grüfte,
Die erschallen
Ihrem Schöpfer zu gefallen.

4

Ihm hört man ofte früh und spat
Die Lämmelein bläckern,
Die Zickelein meckern
Und tönen alls, was Atem hat.
Alle Felder,
Alle Wälder
Sind voll Stimmen,
Die ihn stets zu loben glimmen.

5

Die Schäfer gleichfalls, jung und alt,
Erfüllen die Weiden
Mit merklichen Freuden
Und loben ihn gar mannigfalt.
Hin und wieder
Hört man Lieder
Von ihm singen,
Pfeifen, Hörner, Geigen klingen.

6

Drum schweig auch du nicht, meine Seel,
Sei hurtig zu singen,
Die Saiten zu schwingen,
So lang du lebst in deiner Höhl.
Laß dich hören
Ihm zu Ehren,
Tön und schalle,
Daß Wald, Feld und Berg erhalle.

CXXI

Sie macht ihm ein Lob
aus dem Munde der jungen Kinder

1

Lobt, ihr Kinder, unsern Herrn,
Meines Herzens Morgenstern.
Preiset Jesum, meine Sonne,
Aller Frommen Trost und Wonne.

2

Rufet und bekennt es frei,
Daß er der Messias sei.
Daß er Jsrael vom Bösen
Als ein Heiland wird erlösen.

3

Schreiet: sei gebenedeit,
Jesu, Herr der Herrlichkeit,
Der sich unser angenommen,
Jesu, König, sei willkommen.

4

Denn er ist der Mann allein,
Der so soll gepriesen sein.
Der von aller Menschen Zungen
Soll belobt sein und besungen.

5

Seine Hoheit, seine Pracht
Hat kein Mensch noch ausgedacht.
Seine Liebe, seine Güte
Faßt kein englisches Gemüte.

6

Er ist groß und hält doch wert,
Was gleich klein ist auf der Erd.
Er ist über alls erhaben,
Liebet doch geringe Gaben.

7

Alles nimmt er freundlich an,
Was ihm wird zu Ehrn getan.
Drum ihm auch gar wohl behaget,
Was ihr Kinder lallt und saget.

CXXII

Sie betrachtet die Herrlichkeit
der himmlischen Wohnungen
und des ewigen Lebens

1

Wie lieblich sind die Wohnungen,
Die du uns zubereitest.
Wie herrlich die Belohnungen,
Zu welchen du uns leitest!
Wie wunderschön
Ist das Getön,
Das wir von hunderttausend Chören
Bei dir, Herr Jesu, werden hören.

2

Mein Herze springt vor großer Freud
Und wünschet mit Verlangen,
Die Bleibstadt solcher Seligkeit
Aufs ehste zu empfangen.
Ach, ach, mein Gott,
Wo ist der Tod?
Der mir verkürze dieses Leben,
Daß du mir jenes könnest geben.

3

Wie selig ist der Heilgen Schar,
Die allbereit genießen,
Was wir auf Erden mit Gefahr
Noch erst erstreiten müssen!

Sie sitzen dort
Im Freudenport,
In stolzem Fried und sichern Grenzen,
Geschmückt mit ewgen Lorbeerkränzen.

4

Kein Unglück kann sie mehr berührn,
Kein Schmerz und Weh sie plagen.
Kein Irrgeist kann sie abwegs führn,
Ihr Herz kein Kummer nagen.
Es kommt kein Leid
In Ewigkeit,
Kein Tübsal, Krieg, noch Angst, noch Trauern
In ihre hochgeführten Mauern.

5

Sie dürfen nicht des Mondes Schein,
Auch nicht des Lichts der Sonne.
Das Licht, das ihnen ist gemein,
Ist Gottes Glanz und Wonne.
Christus, das Lamm,
Gibt allensamm
Mit seiner Gottheit Blitz und Strahlen,
Daß sie wie Sonnen selber prahlen.

6

Sie schaun nach aller Herzenslust
Des Höchsten Angesichte
Und bringen ihm aus tiefer Brust
Die lieblichsten Gedichte.
Sie singen ihm
Mit Seraphim
Das Sanctus Sanctus hin und wieder
Und tausend andre neue Lieder.

7

Die Stadt ist lauter reines Gold,
Die Mauern edle Steine.
Von Perlen, denen man so hold,
Sind alle Tore feine.
Kein Tempel ist
Je da erkiest,
Denn Gott und's Lamm, das ist in ihnen
Ihr Tempel selbst, da sie ihm dienen.

8

Im mitten sieht man einen Quall
Wie einen Strom entspringen
Und durch die Gassen überall
Mit süßem Rauschen dringen.
Der Strom, der heißt
Der heilge Geist,
Der alle Selgen ewig tränket
Und in das Herze Gotts versenket.

9

Die Heiligen, die er alldar
Geführet hat zusammen,
Die sind entzündet alle gar
Mit ewgen Liebesflammen.
Sie nahen sich
Ganz turstiglich,
Des Königs Jesu Mund zu küssen
Und seines Kusses zu genießen.

10

Gott selber macht sich so gemein,
Daß er sich alln ergibet
Und alle, wie sie groß und klein,
Mit gleicher Liebe liebet.

Er drückt mit Lust
An seine Brust,
Was Christus auf der Welt erworben,
Da er gekreuzigt ist gestorben.

11

Es wird so große Seligkeit
Und großer Lohn gegeben,
Daß sie durch alle Ewigkeit
Im Überflusse leben.
Man ißt und trinkt,
Man jauchzt und springt,
Man wandelt stets auf frischen Weiden,
Genießet Gotts und seiner Leiden.

12

Ach Gott, was muß für Freude sein,
Wenn man die alle siehet,
Die hier in Kreuz, Angst, Not und Pein
Wie Röselein geblühet.
Wenn man betracht
Die große Pracht
Der Väter, Märtrer und Propheten,
Die sie verdient in ihren Nöten.

13

Wenn man der Keuschheit güldne Kron
Die Jungfern siehet tragen
Und die Bekenner von dem Lohn
Der letzten Treu hört sagen.
Wenn man bei dir
In Fürsten Zier
Die lieben Freunde wieder findet,
Die hier der Tod vonsammen bindet.

14

Mein Jesu, hilf mir doch dazu,
Daß ich nach diesem Leben
Mit solcher Wonn und solcher Ruh
Bei dir mag sein umgeben.
Daß ich dein Licht
Und Angesicht
Mit allen Heilgen und Jungfrauen
Kann lieben und ohn Ende schauen.

CXXIII

Sie sehnt sich in den lieblichen Abgrund
Gottes zu versenken

1

Du wonnigliches Gut, das alle Geister speiset
Und allen Kreaturn Genad und Huld erweiset.
Wann wirst du dich in mich begeben
Und überflüssiglich erfülln?
Wann wirst du selber sein mein Leben
Und alle mein Begehren stilln?

2

Du wahres Paradeis, du ewger Frühlingsgarten,
Du breites Blumenfeld von unerhörten Arten.
Wann werd ich von der wüsten Erden
In deine Lustbarkeit versetzt?
Wann werd ich deiner würdig werden
Und ewig sein von dir ergötzt?

3

Du freudenreicher Strahl, wann wirst du mich verzucken
Und ganz und gar in dich und deinen Blitz einschlucken?

Wann fällt das Fünklein, meine Seele,
Ins Feuer deiner Gottheit ein?
Wann solls samt ihrer Leibeshöhle
Mit dir ein einge Flamme sein?

4

Du ewges Wollustmeer, wann wirst du mich recht tränken,
Wann wirst du mich in dich mit Leib und Seel versenken?
Wann wird mein Geist in dich zerfließen
Und seiner Liebe Lauf vollführn?
Wann werd ich mich auch selbst nicht wissen
Und ewiglich in dich verliern?

5

Du hochgewünschte Ruh, du Zielstatt der Verliebten,
Du End- und Mittelpunkt der wallenden Betrübten.
Wann werd ich, Jesu, zu dir kommen
Und unabscheidlich bei dir sein?
Wann werd ich in dich aufgenommen?
Wann, wann, Jesu, mein einges Ein?

CXXIV

Lob der heiligen Jungfrauen Marie

1

Dich, Mutter Gottes, loben wir,
Dich ehrn wir, Jungfrau, für und für.
Dir, als des heilgen Geistes Braut,
Wird alle Welt voll Ruhms geschaut.
Dir dienen alle Himmelshelden,
Die Thronen stehn vor deinem Thron,
Von deiner Pracht und deiner Kron
Die Fürsten mit Verwundrung melden.

2

Auf dich schaun alle Cherubim,
Dir singen alle Seraphim,
Sie schreien sämtlich: Heilig ist,
Die Gott zur Mutter hat erkiest.
Des Himmels Hof, der Kreis der Erden,
Sind beide voller Herrlichkeit
Der edlen Frucht, die in der Zeit
Aus dir hat wolln geboren werden.

3

Dich lobet der Apostel Chor,
Dich hebt der Märtrer Schar empor,
Dich rühmet der Propheten Mund
Und der Bekenner offner Grund.
Dich preisen selig die Jungfrauen,
Dir sind die Heilgen all in Freud,
Dich bitt die ganze Christenheit
Und hat zu dir ein groß Vertrauen.

4

Du bist des Himmels Königin,
Der Majestät Gebärerin.
Du bist des Schöpfers Ruhm und Zier,
Du bist des Paradieses Tür.
Du bist des Höchsten Lust und Leben,
Ein Tempel der Dreifaltigkeit.
Durch dich wird uns Barmherzigkeit
Von Gott erzeiget und gegeben.

5

Du bist des ewgen Gotts Gezelt,
Bist die Beherrscherin der Welt.
Du bist der ewgen Sonnen Bot
Und aller Seelen Trost nach Gott.
Du bist der Teufel Furcht und Schrecken,
Du stehst den Kranken heilsam bei.
Du machst gewaltig, quitt und frei,
Die in Gefahr des Todes stecken.

6

Du hochgebenedeites Weib
Empfingest Gott in deinem Leib,
Daß unser menschliches Geschlecht
Zur Himmelserbschaft hätte Recht.
Durch dich ist uns der Himmel offen,
Du stehst nächst deinem lieben Sohn
Zur Rechten bei des Vaters Thron,
Von dannen wir ihn wieder hoffen.

7

Drum bitten wir dich, große Frau,
Komm uns zu Hilf von's Himmels Bau.
Hilf uns, die durch deins Sohnes Blut
Erkaufet sind zu seinem Gut.

Hilf uns ins ewge Leben reisen,
Mach uns durch dein Kind Jesum heil,
Daß wir an ihme haben Teil
Und ihn mit dir ohn Ende preisen.

CXXV

Lob des heiligen Johannes des Evangelisten

1

Du edler Jüngling, mein Patron,
Johannes, welchen Gottes Sohn
So zärtlich hat geliebet,
Dich zu verehrn, soll jetzt mein Mund
Die große Güte machen kund,
Die Gott an dir geübet.

2

Mein Heiland, der Bethlemer Held,
Rief dich ganz kräftig von der Welt
In deiner Jahren Blüte.
Du folgest auch bald wie ein Lamm,
Wie eine Braut dem Bräutigam,
Und tratst in seine Tritte.

3

Die jungfräuliche Reinigkeit
Unds unbefleckte Seidenkleid,
Mit dem du warst umgeben,
Hat ihm so wohl an dir gefalln,
Daß er dich lieb gehabt vor alln
In seinem ganzen Leben.

4

Du lagest oft mit selger Lust
An deines Meisters süßer Brust,
Du warst von ihm umfangen.
Dein Herz zerfloß ob dieser Gunst,
Der Geist verbrannt in keuscher Brunst,
Ein End hatt' alls Verlangen.

5

Daher bist du auch so geschwind
Ein feuerflammends Donnerkind
Der ewgen Liebe worden.
Dein Herze war von Jesu reich,
Von ihm wars noch auf Erden gleich
Dem Seraphiner-Orden.

6

Dich nahm er mit sich auf die Höhn,
Da er verkläret wollte stehn
Und seine Wonne zeigen.
Du sahst sein Antlitz wie den Blitz,
Sein Kleid wie Schnee, wenn Carmels Spitz
Der Sonnen Strahln besteigen.

7

Du hasts auch als ein treuer Freund
Hinwiederum mit ihm gemeint
Und ihn nicht schlecht wolln lieben.
Du bist in allem Hohn und Spott,
In allen Leiden bis in Tod
Bei ihme stehen blieben.

8

Dich hat er so vertraut geliebt,
Daß er dir seine Mutter gibt,

Da er am Kreuz muß sterben.
Dich hat er ihr als einen Sohn,
Da er für uns gemußt davon,
Verlassen wolln zum Erben.

9

Drauf hast du deinen feurgen Mut,
Gleich wie ein schneller Adler tut,
Durch das Gewölk geschwungen.
Du hast dich über Zeit und Ort
In Gotts Geburt, ins ewge Wort,
Ins Dunkel eingedrungen.

10

Du hast mit dir herab gebracht,
Daß alles ist durchs Wort gemacht
Und alls von ihm herrühret.
Du hast gelücklich angeschaut
Die neue Stadt, des Lammes Braut,
Wie sie ist ausstaffieret.

11

Jetzt lebst du drin und bist dazu
In ewger Lust und ewger Ruh
Von Jesu Lieb ertrunken.
Du schwimmst im Meere seiner Freud
Und bist im Strom der Herrlichkeit
Ganz seliglich versunken.

12

O edler Jüngling, schau auch an,
Die dir in Gott sind zugetan,
Die dich und Jesum lieben.
Denk auch an uns, hilf uns behend,
Daß wir beständig, bis ans End
Die Liebe Gottes üben.

15*

CXXVI
Lob der heiligen Maria Magdalene

1

Du weltberühmte Büßerin,
Maria Magdalene,
Dir ist jetzund mein Geist und Sinn
Bedacht auf ein Getöne.
Du süße Freundin meines Herrn,
Dich will ich jetzt besingen
Und dir zu Ehren weit und fern
Ein Lobelied erklingen.

2

Die Christenheit verwundert sich
Ob deiner tiefen Buße,
Daß du so frei und offentlich
Dem Herren fielst zu Fuße.
Du kamst mit einem Heldenmut,
Erlassung deiner Sünden
Vor allem Volk beim höchsten Gut
Zu suchen und zu finden.

3

Wie wohl ists deiner Tränen Fluß
Und deinen Haar'n gelungen,
Wie wohl hat dein zerknirschter Kuß
Die ewge Lieb bezwungen!
Du hörtest bald das süße Wort:
Dir ist die Sünd vergeben,
Steh auf und geh in Frieden fort
Zu einem neuen Leben.

4

So lange Christus bleibt bekannt,
So lang wird man auch preisen

Die Kosten, die du angewandt,
Ihm deine Lieb zu weisen.
Der Balsam, den du auf sein Haar
So reichlich hast gegossen,
Kommt durch die werte Christenschar
Mit höchstem Ruhm geflossen.

5

Du hast erwählt den besten Teil,
Bist still bei ihm gesessen
Und in ganz selger Muß und Weil
Das Wort des Lebens gessen.
Du liefst ihm nach, da er mit Spott
Zur Stadt ward ausgetrieben,
Und bist beständig bis in Tod
Bei seinem Kreuz geblieben.

6

Drum hat er auch dein Angesicht
Zum ersten wolln erquicken
Und dir sein auferstandnes Licht
Verliehen, anzublicken.
Du hast (o große Gnad und Gunst!)
Den liebsten Herrn gefunden,
Da du vermeinst, es wär umsonst,
Er wär in Tod verschwunden.

7

Drauf hat er dich ohn Speis und Trank
Durch dreißig Jahr ernähret
Und oft mit englischem Gesang
Des Anschauns Gotts gewähret.
Er ist auch selbst voll Freundlichkeit
Persönlich zu dir kommen,
Bis er dich in die ewge Freud
Aus deinem Leib genommen.

8

O werte Freundin, sieh mich an
Und laß auch michs genießen.
Hilf mir, daß ich auch Jesum kann
Mit meinen Zährn begießen.
Erwirb mir wahre Lieb und Treu
Und Buß ob meinen Sünden,
Auf daß ich möge quitt und frei
Den ewgen Frieden finden.

CXXVII

Die Psyche beweint ihre Sünden

1

Ach weh, ach weh, wo soll ich hin
Vor meinen großen Sünden!
Wo wird mein Geist und toter Sinn
Das Leben wieder finden!
Wer gibt mir eine Tränenflut,
Daß ich mein Leid beweine?
Wer glüht mein Herz mit Kraft und Glut
Und macht mich wieder reine?

2

Ich hab des Schöpfers schönstes Bild,
Mein arme Seel, beflecket
Und seiner Gleichnis besten Schild
In Kot und Schlamm gestecket!
Ich hab mich von der Herrlichkeit
In Schmach und Spott gefället!
Ach weh! Ach weh! O Herzeleid,
Daß ich mich so verstellet!

3

Ach weh! ich habe mich von Gott,
Dem höchsten Gut, gewendet

Und zu der Sünd, dem höchsten Tod,
Ganz töricht angelendet.
Ich hab ihn nicht, wie ich gesollt,
Von Herzensgrund geliebet
Und ihm zu Lob, wie er gewollt,
Mich nicht sehr streng geübet.

4

Ich hab dem Herrn der Herrlichkeit
Sehr lau und kalt gedienet
Und ihm durch meine ganze Zeit
Mit schlechter Treu gegrünet!
Ich hab nicht acht auf ihn gehabt,
Nicht wie ein Knecht geehret,
Noch auch, mit dem er mich begabt,
Sein schönes Pfund vermehret!

5

Ich hab wie ein verstocktes Kind
Den Vater, ach, verlassen!
Und bin gerennet wild und blind
Auf meiner Bosheit Gassen.
Ich habe meine Pflicht und Schuld
Ihm leider nicht erzeiget,
Noch vor der väterlichen Huld
Mich nach Gebühr geneiget!

6

Ich habe meinem besten Freund
Die Freundschaft aufgesaget
Und ihn, wie treu ers auch gemeint,
Von mir hinweg gejaget.
Ich habe mich zum Feind gewendt
Und bin sein Sklave worden,
Zum Feind, der mich doch hat behend
Auf ewig wolln ermorden.

7

Ich habe meinen Bräutigam,
Der mich sich auserkoren,
Meins Herzens Schatz, das Gottes Lamm,
Elendiglich verloren!
Ich hab des Schönsten Angesicht,
Des Liebsten Kuß verscherzet,
Ich habe meines Lebens Licht
(O tausend Weh!) versterzet!

8

O tausend Weh, o tote Lust,
Wie hast du mich vernichtet!
O Eitelkeit, o Sündenwust,
Wie bin ich zugerichtet!
Du, du, o Sünd, o Seelentod,
Hast mich mir selbst genommen!
Durch dich bin ich um Vater, Gott,
Herrn, Freund und Bräutgam kommen.

9

Ach, ist auch irgends eine Pein,
Die meiner gleich zu schätzen?
Kann auch ein einzigs Übel sein,
Das neben meins zu setzen?
Gott ist für mich aus bloßer Huld
Am Kreuzesstamm gestorben
Und ich hab mich aus eigner Schuld
Doch wiederum verdorben.

10

Wem soll ich nun mein Herzeleid
Und großen Jammer klagen?
Wem soll ich meine Traurigkeit
Und ewgen Schaden sagen?
Ich, ich bin selbst mein Seelengift,
Mein Tod und Feind gewesen.

Ich hab mir selbst, was mich jetzt trifft,
Das Übel auserlesen.

11

O ewge Güt, o großer Gott,
Zu dir wend ich mich wieder.
Dir klag ich meines Herzens Not,
Vor dir werf ich mich nieder.
Dir ruf ich zu, dich schrei ich an
Um Ablaß meiner Sünden,
Du bist allein, der helfen kann
Und mich vom Tod entbinden.

12

Es ist mir leid, was ich getan
Und was ich mißgehandelt.
Es reut mich, daß ich auf der Bahn
Der Sünder hab gewandelt.
Ach, daß ich doch mein Angesicht
Von dir je abgewendet
Und auf die Kreatur mein Licht
So sündig angelendet!

13

Es ist mir leid, ich bin nicht wert,
Dein Antlitz zu erblicken.
Ich bin nicht wert, daß mich die Erd
Erduld auf ihrem Rücken.
Jedoch vergib, schrei ich zu dir,
Vergib, o große Güte,
Vergib, vergib, vergib es mir,
O gnädiges Gemüte.

14

Du bist ja huldreich, gut und mild,
Barmherzig und gelinde.
Du wirst ja deiner Gottheit Bild
Nicht lassen in der Sünde!

Wer wird dich loben in dem Pfuhl,
Wer in dem Abgrund preisen?
Wer Opfer bringen deinem Stuhl
Und eingen Dienst erweisen?

15

So du willst ins Gerichte gehn
Und nach den Taten sprechen,
Wer ist, der vor dir wird bestehn
Und sich dem Zorn entbrechen.
Die Himmel sind nicht rein vor dir
Und deine Heilgen alle,
Vielmehr der Mensch, das Sündentier,
Der so geneigt zum Falle.

16

Schau an, schau deinen eingen Sohn,
Der meine Schwachheit träget,
Der meine Pein und Sündenlohn
Sich selbst hat aufgeleget.
Schau, wie er an des Kreuzes Stamm
Für mich ist angeschlagen
Und als ein treuer Bräutigam
So liebreich sich läßt plagen.

17

Was willst du mehr, die Sünd ist hin,
Die Schulden sind bezahlet.
Verändert ist mein Herz und Sinn,
Sein Blut hat mich bemalet.
Ich bin nun Freund, ich bin nun Kind,
Ich bin nun neugeboren,
Es sauset nun seins Geistes Wind
In meines Herzens Ohren.

18

Hinfüro werd ich nimmermehr
Aus deinen Wegen schreiten,
Ich werde deines Namens Ehr
Durch alle Welt ausbreiten.
Ich will dich lieben über mich,
Ich will mein Leib und Leben
Zu deinem Lobe williglich,
So oft du willst, aufgeben.

CXXVIII

Sie weist die Seele in die Wunden Christi

1

Ach, was laufst du hin und her
Über Land und über Meer?
Geh doch ein, o arme Seele,
In deins Hirten offne Höhle.
Nimm in Christi Wunden Ruh,
Du verirrtes Schäflein du.

2

Seine Wunden sind die Stadt,
Da man Schutz und Freiheit hat.
Seine Wunden sind die Graben,
Die wir für die Wölfe haben.
Seine Wunden sind der Port,
Da kein Unfall wird erhort.

3

Seine Wunden sind allzeit
Voller Trost und Süßigkeit.
Seine Wunden sind die Bronnen,
Da das Heil kommt raus geronnen.
Seine Wunden sind der Fluß,
Der uns tränkt mit ewgem Kuß.

4

Seine Wunden sind das Feld,
Das am besten ist bestellt.
Seine Wunden sind die Matten,
Die vor andren haben Schatten.
Seine Wunden geben Lust
Und erquicken Herz und Brust.

5

Seine Wunden sind die Au
Voll vom besten Himmelstau.
Seine Wunden sind die Weide
Voller Blumen, voller Freude.
Sie erfülln und machen satt,
Wer nur kommt und Hunger hat.

6

Ei, so gehe doch hinein,
Du verarmtes Schäfelein.
Laß die Welt und ihren Haufen
Immer in die Irre laufen.
Eile Christi Wunden zu
Und begib dich da zur Ruh.

CXXIX

Die Psyche verläßt die Begier aller Dinge,
daß sie sich mit Jesu allein ergötzen möge

1

Psyche, die verliebte Seele,
Weil sie keiner wahren Lust,
Noch im Feld, noch in der Höhle,
Sich ohn Jesu war bewußt,
Nahm von allem Urlaub frei
Und verließ die Schäferei.

2

Gute Nacht, ihr grünen Matten,
Gute Nacht, du buntes Feld.
Gute Nacht, ihr kühlen Schatten,
Sprach sie, und du ganze Welt,
Gute Nacht, du süßer Bach,
Denn ich folge Jesu nach.

3

Gute Nacht, ihr Schäferinnen,
Meine Nachbarn, liebe Schar.
Lebet wohl, ich muß von hinnen
Und euch lassen ganz und gar.
Gute Nacht, ihr Schäfelein
Und was mich gekonnt erfreun.

4

Keine Not ist zwar vorhanden,
Keine Mißgunst jagt mich fort.
So ist auch kein Krieg entstanden
Zwischen uns ob diesem Ort.
Bloß allein mein Bräutigam
Macht mich lassen allessamm.

5

Denn ich kann nicht mehr so leben,
Bis ich mein Gemüt und Sinn
Jesu ganz hab übergeben
Und nur sein alleine bin.
Gute Nacht, gehabt euch wohl,
Ich bin Lieb und Freiheit voll.

6

Folgt mir nach, ihr Schäferinnen,
Wo ihr ganz wollt Gottes sein,
Opfert euer Herz und Sinnen
Eurem Bräutigam allein.
Folgt mir, schrie sie, folgt mir nach,
Bis sie ihnen ganz entbrach.

CXXX

Sie gibt Bericht, wo Jesus anzutreffen sei

1

Wollt ihr den Herren finden,
So sucht ihn, weil es Zeit.
Wollt ihr den Bräutgam binden,
So tuts, weil ers verleiht.
Wollt ihr die Kron empfangen,
So rennet nach dem Ziel.
Wer viel meint zu erlangen,
Der sucht und müht sich viel.

2

Sucht ihn mit Kindsgeberden
Im Kripplein, auf dem Heu.
Denn wer kein Kind will werden,
Der geht ihn stracks fürbei.
Sucht ihn, den reinen Knaben,
In der Jungfrauen Schoß,
Denn wer dies Gold will haben,
Muß sein von Keuschheit groß.

3

Sucht ihn, soll er sich zeigen,
Im Straßweg der Geduld.
Wer meiden kann und schweigen,
Der findet seine Huld.
Sucht ihn in Wüsteneien
Und Abgeschiedenheit.
Die mit der Welt sich freuen,
Die fehlen seiner weit.

4

Sucht ihn in Kreuz und Leiden,
In Trübsal und Elend,
Denn durch der Wollust Freuden
Wird man von ihm getrennt.

Sucht ihn, wo er im Grabe
Der Welt gestorben ist,
Denn wer nicht all'm stirbt abe,
Wird nicht von ihm erkiest.

5

Sucht ihn im Himmel droben,
Im Chor der Seraphim,
Denn, die ihn liebend loben,
Sind nicht sehr weit von ihm.
Sucht ihn in eurem Herzen
Mit tiefer Innigkeit,
So werd't ihr quitt von Schmerzen
Jetzt und in Ewigkeit.

CXXXI
Sie erzählt, wie ihr Freund gestaltet ist

1

Ihr Schäferinnen, die ihr bald
Wollt wissen, wie mein Freund gestalt,
Kommt, tretet her in einen Reihen,
Ich wills euch sagen und erfreuen.

2

Mein Freund ist wie ein Röselein
Wohlriechend, schön, ausbündig fein.
Ist mit des Himmels Tau begossen,
Viel Dornen haben ihn umschlossen.

3

Mein Freund ist wie ein Täubelein
Sanftmütig, liebreich, weiß und rein.
Betrübt niemand, erfreuet alle,
Ist ohne Falsch, hat keine Galle.

239

4

Mein Freund ist wie ein Lämmelein,
Das nie kann ungeduldig sein.
Huldselig, sittsam an Geberden
Ist er vor allen auf der Erden.

5

Mein Freund ist wie der Morgenstern,
Der sehr erfreulich leucht von fern.
Ergötzend ist sein Angesichte
Vor aller andern Sternen Lichte.

6

Mein Freund ist wie der Sonnen Glanz,
Wenn sie die Welt bescheinet ganz.
Er kann mit seiner Augen Strahlen
Ein Licht in Leib und Seele malen.

7

Mein Freund ist wie das Firmament,
Beständig aber doch behend.
Bald steigt er auf, bald steigt er nieder,
Bald geht er hin, bald kommt er wieder.

8

Mein Freund ist wie der ewge Blitz
In des durchlauchtsten Gottes Sitz.
In ihm zerschmelzen alle Herzen
Von sich und ihren Liebesschmerzen.

9

Also, ihr Mägdlein jung und alt,
Ist mein geliebter Freund gestalt.
Wollt ihr ihn sehn und auch genießen,
So sucht ihn und fallt ihm zu Füßen.

CXXXII

Jesus der treue Hirte sucht die Psyche und verlobt sich mit ihr

1

Hört Wunder, hört, des Königs Sohn,
Der sprang herab von seinem Thron
Und ließ sich Schäfer grüßen.
Damit er nur die Hirtenmagd,
Die Psyche, die der Feind verjagt,
Liebkosen möcht und küssen.

2

Er suchte sie durch Feld und Wald,
Er schrie und ruft' ihr mannigfalt
Mit herzlichem Verlangen.
Er lief durch Berg und auch durch Tal
Inbrünstig und schrie überall:
O Psyche, komm gegangen.

3

Bis endlich fand er sie allein,
Verirrt in einer Wüsten sein,
Im Schlaf dazu versunken.
Da trat er liebreich zu ihr hin,
Berührend ihren Geist und Sinn
Mit seinen Liebesfunken.

4

Ach, ach, sprach er, du armes Kind,
Wie schmerzts mich, daß ich dich so blind
Und voller Schlaf hier finde.
Steh auf, steh auf, ich komm zu dir,
Daß ich dich in mein Reich einführ
Und dich mit mir verbinde.

5

Ich suche dich und bin verliebt,
Verliebt bin ich und sehr betrübt

Um dich, mein ander Leben.
Gib mir dein Herz, sei meine Braut
Und bleibe mir allein vertraut,
So will ich dich erheben.

6

Da sprach die Psyche: Jesu Christ,
Der du in mich verliebet bist,
Sei tausendmal willkommen!
Ich kenne dich schon, weil dein Brand
Im Schlaf dich mir gemacht bekannt
Und mir mein Herz genommen.

7

Ich liebe dich und danke dir,
Du meines Lebens ewge Zier,
Daß du mich hast erwecket.
Ich würde sonst gleich wie ein Schaf
In meinem Irrtum, meinem Schlaf,
Noch immer sein gestecket.

8

Ich liebe dich, du liebster Freund,
Ich such zu sein mit dir vereint
Und mich dir einzuleiben.
Hier ist mein Herz, hier ist die Braut,
Nimm mich, ich bin dir schon vertraut
Und wills auch ewig bleiben.

CXXXIII

Sie wird getröstet von ihrem Jesu

1

Als ich nächst im Wald spazierte
Und viel große Klagen führte,
Daß ich armes Waiselein
Müßt ohn meinen Bräutgam sein,

Kam mein Jesus selbst zu mir
Und versprach mit süßen Worten,
Daß er wollt an allen Orten
Bei mir bleiben für und für.

2

Schau, ich habe dich vom Bösen,
Sprach er, gerne wolln erlösen
Und mit meinem Blut und Tod
Dich erretten aus der Not.
Bin auch stets bei dir, mein Kind,
Ob zwar deine blöden Sinnen
Meiner selten werden innen
Und um mich betrübet sind.

3

Sollt ich denn dich nun verlassen
Und dein lieblichs Seufzen hassen?
Sollt ich nicht zu jeder Zeit
Bei dir sein in Traurigkeit?
Zweifle nicht mein Täubelein,
Denn daß ich vor deiner Seele
Mich verberg und lang verhöhle,
Ist dir gut und muß so sein.

4

Wart, du wirst mich schon genießen
Und nach deinem Wunsche küssen,
Wenn ich dich aus dieser Qual
Führen werd in meinen Saal.
Wenn ich deine Lieb und Treu
Werde mit mir selbst belohnen
Und du ewig bei mir wohnen,
Aller Seufzer quitt und frei.

5

Als ich diesen Trost gehöret,
Ward mein Klagen bald zerstöret.
Voller Freude war mein Sinn
Und der Jammer ganz dahin.
Alle Vöglein deuchten mich,
Lieblicher als vor zu singen
Und der Westwind mir zu bringen
Kühlre Lüftlein, kühlern Strich.

6

Jesu, sprach ich, nun soll eben
Dir mein Sinn sein aufgegeben,
Alles Seufzen soll fortan
Sein nach deinem Willn getan.
Denn ich weiß, daß du, mein Licht,
Ob du mir zwar bleibst verborgen
Manchen Abend, manchen Morgen,
Dennoch wirst verlassen nicht.

CXXXIV

Sie ruft ihm, daß er soll zu ihr kommen, weil sie sonst nichts ergötzen kann

1

Liebster Schäfer, mein Verlangen,
Unsrer Wälder höchste Zier,
Schönster Jesu, komm gegangen,
Komm, mein einzige Begier.
Komm herab vom Libanon,
Meine Perle, meine Kron.

2

Komm herab, du goldne Sonne,
Komm herab; denn von den Höhn
Soll mein Heil und meine Wonne
Und Erlösung mir entstehn.

Komm, du edler Schäfer du,
Komm, sprich deiner Psyche zu.

3

Meine Seufzer, meine Zähren,
Mein Betrübnis, meine Qual,
Die um dich so lange währen,
Füllen an das ganze Tal.
Schau, o Jesus, du allein
Bist die Ursach meiner Pein.

4

Andre können sich ergötzen
Auf dem bunten Wiesenplan.
Andere mit Gold und Schätzen,
Andren liegt was andres an.
Mir behaget nichts als du,
Du, mein einge Lust und Ruh.

5

Drum werd ich so lange schreien,
Meine Perle, meine Kron,
Komm herab, mich zu erfreuen,
Komm herab vom Libanon,
Bis du mich hast angeblickt
Und mit deinem Kuß erquickt.

CXXXV
Jesus ist ihr das schönste Bild

1

Jesus ist das schönste Bild,
Das die Weisheit ausgesonnen,
Das so reine, zart und mild
Von der ewgen Lieb besponnen,
Das die höchste Himmelsmacht
Jemals hat hervorgebracht.

2

Es ist voller Kunst und Schmuck,
Daß es Sinn und Herz verzücket,
Ist der Gottheit Meisterstuck,
Drein sie sich selbst abgedrücket.
Willst du sehn, wie Gott gestalt,
Schau Jesum, so siehst dus bald.

3

Denn der Strahl der Herrlichkeit
Prahlt aus seinem Angesichte
Und der Blitz der Ewigkeit
Macht sein Leib und Seele lichte.
Und der ersten Schönheit Glanz
Wird in ihm gesehen ganz.

4

Aller Engel Huld und Schein,
Aller Heilgen Pracht und Prangen
Kommt in diesem Bild allein
Tausendfältig hergegangen.
Was man nur gedenken kann,
Trifft man alls in Jesum an.

5

Ja, Gott selbst, das ewge Licht,
Hat nichts Schöners je gesehen,
Kann auch drum sein Angesicht
Nimmermehr von ihm abdrehen.
Sage, was du immer willt,
Jesus ist das schönste Bild.

CXXXVI
Sie hält ihn, daß er soll bei ihr bleiben

1

Bleib hier, bleib hier, du Trost der Schäferinnen,
Ich lasse dich, mein Schatz, ja nicht von hinnen.
Bleib hier, mein Bräutigam, mein Liebster, weiß und rot,
Ach, bleib doch hier, mein Licht, mein Engel und mein Gott.

2

Was Trosts hab ich auf dieser dürren Erden,
Wenn du, mein Lieb, auch solltest mir entwerden?
Bleib hier, ich lasse dich aus meinen Armen nicht,
Bis daß der große Tag der Ewigkeit anbricht.

3

Bist du mein Trost, so tröst auch meine Seele.
Bist du mein Schatz, so bleib in meiner Höhle.
Bist du mein Bräutigam, so liebkos auch die Braut,
Die du durch deine Lieb dir einmal hast vertraut.

4

Denk doch, was ist die Welt ohn eine Sonne,
Die Höhl ohn Schatz, das Leben ohne Wonne!
Der Himmel ohne Gott, die Braut ohn Bräutigam!
Drum bleib doch hier, mein Lieb, mein Täublein und mein Lamm.

5

Jedoch willst du, daß ich soll einsam leben,
So will ich mich aus Liebe drein ergeben.
Vergiß nur meiner nicht, kehr wieder bald zu mir,
Du Leben meines Geists und meiner Seelen Zier.

CXXXVII

Sie begehrt den Brautschmuck von ihrem Bräutigam

1

Du edler Bräutigam, der du mich neu geboren
Und vor viel tausenden zu deiner Braut erkoren,
Ach laß mich doch empfangen,
Was meine Seele ziert!
Ach laß mich doch erlangen,
Was deiner Braut gebührt.

2

Gib mir dein Eigentum, der weißen Unschuld Kleid,
Gib mir, daß ich stets grün in deiner Grechtigkeit.

Laß mich auf Erden leben,
Wie du gelebet hast,
Und williglich ergeben
Zu tragen deine Last.

3

Pflanz deine Tugenden in meines Herzens Schrein,
Trag deiner Demut Bild und deine Lieb hinein.
Die Keuschheit deiner Seele
Geb ihr'n Geruch in mir
Und deiner Sanftmut Öle
Fließ aus meins Mundes Tür.

4

Streich meine Wangen an mit deinem Rosenblut,
Tu meine Lippen auf mit deiner Reden Flut.
Leg deine Huldestrahlen
In meiner Augen Rund
Und laß mein Haupt ummalen
Mit deinem Dornenbund.

5

Der Speer, der durch dein Herz und Seite hat gemußt,
Sei meines Herzens Trost und Kleinod meiner Brust.
Die Nägel laß mich haben,
Die deine Füß und Händ
Am Kreuz für mich durchgraben
Und Mark und Bein zertrennt.

6

Dein gänzlicher Verdienst sei um mich in gemein,
Mein Gold, mein Perlenschmuck und edeles Gestein.
Auf daß ich kann bestehen,
Wenn du erscheinen wirst
Und mich zu dir erhöhen,
Du ewger Himmelsfürst.

CXXXVIII

Sie freut sich über die Geburt Christi

1

Freut euch ihr Hirten all
Und jauchzt mit großem Schall!
Gott ist ein Kind geborn,
Hat Mensch zu sein erkorn:
O große Freude!

2

Der Glanz der Herrlichkeit
Hat sich in uns verkleidt.
Die ewge Gottsgewalt
Erscheint in Knechtsgestalt:
O große Freude!

3

Der hohe Wunderheld,
Der Herrscher aller Welt
Ist unser Brüderlein,
Will uns vom Tod befrein:
O große Freude!

4

Die allerhöchste Lust
Trinkt unsrer Jungfrau Brust.
Der immer grüne Mai
Legt sich für uns ins Heu:
O große Freude!

5

Das liebe Jesulein
Liegt in dem Krippelein.
Verkürzt uns alle Pein
Mit seinen Äugelein:
O große Freude!

6

Viel tausend Engelein
Hört man in Lüften schrein
Und uns zu Trost allda
Erhalln das Gloria:
O große Freude!

CXXXIX

Sie ergötzt sich mit dem Kinde Jesu

1

Du tausendschönes Kind,
Du Knabe, bunt wie Rosen!
Du Mündlein, das geschwind
Mein Herze lieb muß kosen.
Du Blume zu Saron,
Du zarter Jungfraunsohn,
Du süße Frucht der Liebe,
Ohn die ich mich betrübe,
Ach sei doch meine Lust
Und rast an meiner Brust!

2

Ach sei doch meine Lust
Und laß dich freundlich küssen.
Laß mich mit Mund und Brust
Dich anrührn und genießen.
Du liebes Äugelein,
Du edles Blümelein,
Du alle meine Freude,
Du ewge Seelenweide.
Ach mein, ach daß dein Tau
Fall auf meins Herzens Au!

3

Ach mein, ach daß dein Tau,
Du Kind der Morgenröte,
Fall auf meins Herzens Au
Und alles Unheil töte.
Daß deiner Kehle Wein
In meinen Mund fließ ein.
Daß dein Geschenk mich labe
Vor aller andrer Gabe.
So küsse mich geschwind,
Du tausendschönes Kind.

CXL

Sie findet ihre Liebe am Kreuze

1

Ach, was hast du getan, ach, was hast du verschuldt,
Du Brunn der Freundlichkeit, du Ursprung aller Huld,
Daß du gekreuzigt bist!

2

Du unbeflecktes Kind, du reiner Jungfraunsohn,
Du sanftmutvolles Lamm, du weißer Keuschheit Thron,
Ach, was hast du getan!

3

Du himmelische Lieb, du kleiner großer Gott,
Ach, warum hängst du da! Ach, warum bist du tot!
Ach, warum ists geschehn!

4

Ists, daß du mir mein Herz mit deinem Pfeil verwundt,
So hast du wohl getan; denn schau, ich bin gesund,
Ich bin gesund davon!

5

Was leidest du denn dies? Weil du mir nichts getan?
Weil ich dich, o mein Kind, auch nie geklaget an
Und stets gepriesen hab.

6

Ach ja, ach du vergießt dein rosenfarbnes Blut,
Gleich wie ein Pelikan für seine Küchlein tut,
Daß ichs genießen soll!

7

Ists dies, du süßer Gott? Ists dies, mein Pelikan?
So fülle doch mein Herz und Seel damit ganz an
Und wandle mich in dich.

8

Denn schau, ich wünsche mir mit großer Innigkeit,
Dein Ebenbild zu sein und so zur Dankbarkeit
Für dich gekreuzigt stehn.

9

Drum werd ich dich, mein Kind, anrufen für und für
Und warten mit Geduld bei deiner Gnadentür,
Bis ich gekreuzigt bin.

CXLI

Sie beweint die gekreuzigte Liebe

1

Kommt her und schauet an mein Leben,
Das unbefleckte Jungfraunkind!
Schaut, wie es ist ans Kreuz gegeben
Für unsre Schuld und unsre Sünd!
Es ist so übel zugericht,
Daß mir das Herze bricht!

2

Schaut, wie man hat den zarten Knaben
So gar zerschmissen und verwundt!
Wie man ihm Händ und Füß durchgraben,
Wie man belohnt den hulden Mund!
Wie ist die ewge Freundlichkeit
Beworfen und bespeit.

3

Der Leib ist voller Beuln und Schrunden,
Voll Angst und Schmerzen ist sein Geist.
Das Fleisch und Mark ist alls verschwunden,
Das Blut vergossen allermeist.
Wie muß das lieblich Äugelein
Ein solcher Scheusal sein?

4

Er hat vom Himmel auf die Erden
Aus lauter Liebe sich gesenkt,
Daß wir erledigt sollen werden
Von allem Übel, das uns kränkt.
Und sieh, er stecket selbst in Not,
Der treue Liebesgott!

5

Wer ist nun, der ihm bei kann springen,
Wer will ihm seine Treu bezahln?
Wer Öle seinen Wunden bringen,
Wer stillet seine Pein und Qualn?
Wer ist, der das geplagte Kind,
Ach, ach, vom Kreuz gewinnt?

6

Soll denn die Lieb am Kreuze sterben?
Soll denn die Unschuld länger stehn?
Soll denn das Heil der Welt verderben
Und unser Leben untergehn?
Ach ja, es weicht schon Geist und Sinn!
Ach ja, die Lieb ist hin.

7

Die Lieb ist hin, o arme Seele,
Die Lieb ist tot, lauf doch hinzu!
Eröffne deines Herzens Höhle
Und gib sie ihm noch jetzt zur Ruh.
Steig auf das Kreuz, nimm ihn herab
Und sei der Liebe Grab.

8

Du bist die Schuld, daß er gestorben,
Du bist die Ursach seiner Pein.
Weil er um deine Lieb geworben,
Hat er des Todes müssen sein.
Dies Lämmlein ist für dich geschlacht,
Für dich in Tod gebracht!

9

Entzieht euch mir, ihr meine Sinnen,
Ihr Augen schließt euch beide zu.
Mein Geist begebe sich von hinnen,
Mein Leben, das ersterb auch nu.
Ich kann vor Leid nicht mehr bestehn,
Ich muß mit ihm vergehn.

CXLII

Sie vergleicht ihren Jesum einer Nachtigall

1

Nachtigall, wenn dein Gesang
Mit so angenehmem Klang
Durch den Wald erschallet,
So gedenk ich ans Getön,
Das aus Jesu Mund so schön
Mir zu Trost erhallet.

2

Ich gedenke, wie er sich
So verliebt und inniglich
Auf das Kreuz geschwungen
Und mir sieben Liedelein
In der größten Hitz und Pein
Lieblich hat gesungen.

3

Erstlich sang er, daß mir Gott
Sollte seine Pein und Tod
Ewiglich verzeihen
Und, weil ich aus Unverstand
Ihm dies Leiden zugewandt,
Mir Genad verleihen.

4

Drauf fing er ganz lieblich an:
Heute werd ich dir die Bahn
Voller Rosen streuen.
Heut wirst du im Paradeis
Gott und mir zu ewgem Preis
Dich mit mir erfreuen.

5

Drittens sang er: daß die Brust
Seiner Mutter mir die Kost
Sollt als Sohne geben.
Und ich sollt auch als ein Sohn
Diesem, seiner Weisheit Thron,
Stets gehorsam leben.

6

Drauf schrie er sehr klägelich:
Gott, mein Gott, wie läßt du mich

So verlassen leiden.
Daß mir sollte kundbar sein,
Wie er alle diese Pein
Litt ohn Trost und Freuden.

7

Weiter sang er tröstlich fort
Und ließ mich das goldne Wort,
Daß ihn dürste, hören.
Daß ihn dürstete nach mir
Vor so inniger Begier,
Wollt er mich da lehren.

8

Dann sang er: es ist vollbracht,
Satan ist mit seiner Macht
Endlich überwunden.
Deine Schulden, meine Braut,
Sind bezahlt mit meiner Haut,
Du bist losgebunden.

9

Drauf gab er matt und verwundt
Seinen Geist mit süßem Mund
In des Vaters Hände,
Daß auch ich so sollte tun
(Wenn ich selig wollte ruhn)
An dem letzten Ende.

10

Dieses hat mit wertem Schall
Meine liebste Nachtigall,
Jesus, mir gesungen.
Und aus diesem seinem Lied
Ist mir Trost, Freud, Ruh und Fried
Ewiglich entsprungen.

11

Drum erfreuet mich es bald,
Wenn ich höre durch den Wald,
Nachtigall, dich singen.
Sing, du schöne Sängerin,
Denn du machst mir Herz und Sinn
In dem Herrn aufspringen.

CXLIII

Die Psyche muntert sich mit dem Frühling zu einem neuen Leben auf

1

Der Frühling kommt heran,
Der holde Blumenmann,
Es geht schon Feld und Anger
Mit seiner Schönheit schwanger.
Der Blütenfeind, der Nord,
Steht auf und macht sich fort.
Das Turteltäubelein
Laßt hörn die Seufzerlein.

2

Die Lerch ist aus der Gruft
Und zieret Feld und Luft
Mit ihrem Direlieren,
Das sie so schön kann führen.
Die Künstlern Nachtigall
Lockt und zickt überall.
Die Vöglein jung und alt
Sind munter in dem Wald.

3

Die Sonne führet schon
Ihr'n freudenreichen Thron
Durch ihre güldnen Pferde
Viel näher zu der Erde.

Die Wälder ziehn sich an
Und stecken auf ihr Fahn.
Der Westwind küßt das Laub
Und reucht nach Blumenraub.

4

Das Wild lauft hin und her
Die Läng und auch die Quer.
Es tanzen alle Wälder,
Es hüpfen alle Felder.
Das liebe Wollenvieh,
Das weidet sich nun früh.
Die stumme Schuppenschar
Schwimmt wieder offenbar.

5

Die ganze Kreatur
Wird anderer Natur.
Die Erde wird verneuet,
Das Wasser wird erfreuet,
Die Luft ist lind und weich,
Warm, tau- und regenreich.
Der Himmel lacht uns an,
So schön er immer kann.

6

Drum kreuch auch meine Seel
Herfür aus deiner Höhl.
Laß deines Herzens Erden
Zu einem Frühling werden.
Zertritt Gefröst und Eis
Und werd ein grüner Reis.
Sei eine neue Welt
Und tugendvolles Feld.

7

Laß deine Seufzer gehn
Mit lieblichem Getön.

Laß hören dein Verlangen,
Den Bräutgam zu empfangen.
Sei eine Nachtigall,
Und lock mit Liebesschall
Der Himmel höchste Zier,
Den süßen Gott, zu dir.

8

Schwing dich behend und fein,
Gleich wie ein Lerchelein,
Vom irdischen Getümmel
Und schwebe frei im Himmel.
Bereite dich mit Klang
Und stetem Lobgesang,
Den Schöpfer zu verehrn
Und seinen Ruhm zu mehrn.

9

Es fähret schon herein
Sein gnädger Sonnenschein.
Er läßt schon seine Strahlen
Dein ganzes Herz bemalen.
Sein Geist, der süße Wind,
Weht schon dich an, sein Kind.
Drum blüh in seiner Lieb
Und folge seinem Trieb.

CXLIV

Sie ruft alle Kreaturen Gott zu loben

1

Auf, auf, mein Herz, ermuntre dich,
Laß durch die Luft dich hören,
Ich sehne mich ganz inniglich,
Den Bräutigam zu ehren.

Alls, was die ganze weite Welt
In ihrem Kreis beschlossen hält,
Will ich zusammen rufen hier,
Daß es ihn loben soll mit mir.

2

Kommt her, ihr kleinen Vögelein,
So viel ihr seid zerstreuet
Und mit den süßen Stimmelein
Wald, Berg und Tal erfreuet.
Kommt, singt und schreiet allzumal:
Lob, Ehr und Preis sei ohne Zahl
Jesu, dem Heiland aller Welt,
Der unser Herz zufrieden stellt.

3

Heb an, du werte Nachtigall,
Dein künstlich Figurieren
Und hilf mit deinem süßen Schall
Mein Brautlied musizieren.
Die Lerche soll ihr Dir, Dir, Dir,
Dir Herr sei Lob auch für und für,
Erzwingen in dem besten Ton
Und mit uns loben Gottes Sohn.

4

Der Westwind mache sich herbei
Mit seinem linden Brausen,
Die frischen Lüftlein mancherlei
Und alles sanftes Sausen.
Ihr süßen Bächlein rinnt zu mir,
Ihr kühlen Brünnlein quellt allhier,
Ihr großen Flüsse strömt hier an,
Daß ich mit euch ihn loben kann.

5

Ihr Blumen in der ganzen Welt,
In Sümpfen und in Flüssen,

In Gärten und auf offnem Feld,
Helft meinen Bräutgam grüßen.
Ihr Lilien und ihr Röselein,
Ihr Tulpen, Veilchen insgemein,
Lobt Jesum, mein und eure Kron,
Die schönste Blume zu Saron.

6

Ihr Gräslein alle kriecht herfür,
Ihr Kräuter, Stauden, Stecken,
Ihr Wiesen selber kommt zu mir,
Ihr Dornen und ihr Hecken.
Ihr Sträuch und Büsche, groß und klein,
Kommt, stimmet alle mit mir ein,
Ihr Bäume beide, wild und zahm,
Kommt, lobet meinen Bräutigam.

7

Ihr Wurzeln (daß ich euer nicht
Bei meinem Lied vergesse),
Kommt, lobt bei hellem Tagelicht
Die weite Wurzel Jesse.
Ihr Furchen und du grüne Saat,
Lobt meinen Lieben früh und spat.
Der Regen, Schnee, der Reif und Tau
Lob ihn mit Macht auf jeder Au.

8

Ihr auch, ihr meine Schäfelein,
Die ihr im Grünen weidet,
Lobt ihn, das liebe Lämmelein,
Er ists, der euch bekleidet.
Er ists, der mich und euch bewacht,
Die List des Wolfs zunichte macht.
Er ists, der ewig wird regiern
Und mich zum Brunn des Lebens führn.

9

Herbei, ihr Hirtenmägdelein,
Herbei, herbei mit Freude,
Tanzt ihm zu Ehren einen Reihn
Auf dieser grünen Weide.
Versammelt euch hier, jung und alt,
Lobt meinen Bräutgam mannigfalt,
Erzählet manche große Tat,
Die er für uns verrichtet hat.

10

Es lob ihn jedes Element,
Luft, Feuer, Wasser, Erde.
Das hochgewölbte Firmament
Dazu erreget werde.
Die Morgenröte nahe sich
Und lob ihn unveränderlich.
Der angenehme frühe Stern
Sei wegen seines Lobs nicht fern.

11

Die Sternen all ins Himmels Feld
Solln ihn ganz herrlich preisen
Und vor den Augen aller Welt
Groß Ehr und Dienst erweisen.
Die Sonne mit der Cynthia
Solln ihn mit mir erheben da.
Er ist und bleibet allezeit
Die Sonne der Gerechtigkeit.

12

Ihr auch, ihr werten Geisterlein,
Die ihr uns stets begleitet,
Ihr Englichen, ihr Flämmelein,
Die ihr uns aufwärts leitet,

Versammlet euch in großer Schar,
Kommt mit den andren allen gar,
Ihr müßt auf dieser Wiesen da
Erschalln das schöne Gloria.

13

Insonderheit, ihr Seraphim,
Erhebet eure Flammen
Und schreit das Sanktus über ihn,
Den Heiligsten, zusammen.
Ach, daß ich brennte lichterloh
In heißer Liebe wie ein Stroh.
Ach, zündet doch mein Herz ganz an,
Daß ich wie ihr ihn loben kann.

14

Ich suche nichts als seinen Ruhm,
Will auch nichts anders singen.
Ihn loben ist mein Eigentum,
Mein Ehr, ihm Ehre bringen.
Mein Leib, mein Herze, Seel und Geist
Und alles, was man meine heißt,
Soll ihn durch Zeit und Ewigkeit
Zu loben immer sein bereit.

15

Du aber, liebster Jesu Christ,
Gib, daß ich dir gefalle,
Daß ich dein Lob zu jeder Frist
Mit reinem Mund erschalle.
Nimm mich, mein Lieb, wenn ich dich preis,
Aus dieser Welt ins Paradeis.
Daß ich vergeh mit diesem Wort:
Jesu sei Lob an allem Ort!

CXLV
Die Psyche ladet die Waldvögelein
zum Lobe Gottes ein

1

Ihr kleinen Vögelein,
Ihr Waldergötzerlein,
Ihr süßen Sängerlein
Stimmt mit mir überein!
Ich will den Herren preisen
Mit meinen Liebesweisen.
Ich will von Herzensgrund
Ihm auftun meinen Mund.

2

Spitzt eure Schnäbelein,
Zwingt eure Stimmelein
Und fangt an, groß und klein,
Aufs lieblichste zu schrein.
Ich will durch euer Singen
Mich zu dem Schöpfer schwingen.
Ich will durch euren Ton
Hinauf zu Gottes Sohn.

3

Er ziert euch Feld und Wald
So schön und mannigfalt,
Er kleidt euch, jung und alt,
Mit Federn wohlgestalt.
Er schafft euch kühle Sitze
Vor Unfall und vor Hitze.
Er gibt euch Speis und Trank
Und Mut zum Lustgesang.

4

Drum stimmet mit mir ein,
Ihr süßen Schreierlein,
Ihr kleinen Pfeiferlein,
Ihr Wundersängerlein!

Gott Lob ist mein Erschallen,
Gott Lob sei eur Erhallen.
Gelobt sei Gott, ist mein Gesang,
Gelobt sei Gott, sei euer Klang.

CXLVI

Sie krönt ihren Jesum mit Blumen

1

Kommt, laßt uns Jesum krönen,
Den Schäfer voller Hold,
Den Lieblichen, den Schönen,
Den Feinen über Gold.
Kommt, helft mir mein Leben
Mit Blumen umgeben.
Kommt, windet ihm Kränze,
Kommt, heget ihm Tänze,
Kommt, singet ihm ein Ehrenlied.

2

Kommt, helfet mir ihn grüßen
Den Bräutgam weiß und rot,
Kommt, fallet ihm zu Füßen
Dem Werten, unsrem Gott.
Kommt, leget ihm munter
Die Achseln unter,
Kommt, tragt ihn mit Freuden
Durch alle die Heiden
Und jauchzet ihm, so viel ihr könnt.

3

Setzt ihn, die Lust der Sinnen,
Den zarten Jungfraunsohn,
Den Preis der Schäferinnen,
Auf einen Blumenthron.

Umgebt ihn mit Myrten,
Den König der Hirten,
Belegt ihn mit Palmen,
Verehrt ihn mit Psalmen
Und betet ihn demütig an.

4

Auf daß er uns anblicke
Mit Liebesäugelein
Und unsre Seeln erquicke
Mit seiner Brüste Wein.
Auf daß er uns schenke
Die himmlischen Tränke.
Auf daß er uns ziere
Und wonniglich führe
Mit sich ins Schloß der Seligkeit.

CXLVII

Sie bittet, daß Jesus allein möge ihre Freude sein

1

Jesu, unsre Freude,
Unser Trost im Leide,
Gib, daß wir uns für und für
Einzig freuen über dir.

2

Treib aus unsrem Herzen
Traurigkeit und Schmerzen.
Eitle Lust und Fröhlichkeit
Sei von uns auch fern und weit.

3

Laß uns nichts belieben,
Was uns kann betrüben.

Unsre Liebe laß allein
Deine Mensch- und Gottheit sein.

4

Hilf uns selig sterben
Und die Kron erwerben,
Daß wir in der Ewigkeit
Sehen deine Herrlichkeit.

CXLVIII

Sie versammelt alle ihre Kräfte und Sinne zu seinem Lobe

1

Auf, auf, mein Geist und du, o mein Gemüte,
Auf, meine Seel, auf, auf, mein Sinn!
Auf, auf, mein Leib, mein Herz und mein Geblüte,
Auf, alle Kräft und was ich bin.
Vereinigt euch und lobt mit mir
Der Menschen Trost, der Engel Zier.
Stimmt all in heißen Liebesflammen
Zu Lobe meines Herrn zusammen.

2

Erhebt euch wie die Adler von der Erden,
Schwingt euch hinauf vor seinen Thron,
Erscheint vor ihm mit dankbaren Geberden
Und singet ihm im höchsten Ton.
Seid fröhlich, munter, jauchzt und klingt,
Frohlockt mit Händen, tanzt und springt.
Erzeigt euch voller heilger Freuden
Zu Lob und Ehren seiner Leiden.

3

Es müssen dir zu Ehren deiner Wunden
Stets wachend meine Sinnen sein.
Zu deinen Ehrn werd immerdar gefunden
In meinem Fühlen deine Pein.

Mein Auge sehe dir zu Ehrn,
Mein Ohr merk auf dein Wort und Lehrn.
Es müsse mein Geschmack dir schmecken,
Nach dir nur mein Geruch sich strecken.

4

Es lobe dich, Herr, mein Verstand und Wille,
Gott, mein Gedächtnis lobe dich,
Zu deinem Lob sei meine Bildung stille,
Mein Geist erheb sich über sich.
Mein Atem lob dich für und für,
Mein Puls schlag stets das Sanktus dir.
Es singen alle meine Glieder
Zu deinen Ehren tausend Lieder.

5

Mein Herze müß in deiner Lieb zerfließen,
Die Seel in deinem Ruhm vergehn,
Mein Mund dich stets mit neuem Lobe küssen
Und Tag und Nacht dir offen stehn.
Es müssen dienen dir zur Lust
Die tiefen Seufzer meiner Brust.
Es müsse dich mit Lob umgeben
Mein Warten und mein sehnlichs Leben.

6

Weil aber alls nicht gnug ist dich zu preisen,
So wollst du selbst dein Lob vollführn
Und dir für mich Dank, Ehr und Preis erweisen,
Wie deiner Hoheit will gebührn.
Du wollst ersetzen, o mein Licht,
Was mir an deinem Lob gebricht,
Bis du mich wirst in dich erheben
Zu einem Glanz und einem Leben.

CXLIX

Sie vermahnt ihre Seele zu der wahren
Innigkeit des Geistes

1

Schwing dich auf, mein Täubelein, behende
Und verflieg dich in dein letztes Ende.
Fleuch hinweg vom irdischen Getümmel
Und begib dich in den stillen Himmel.

2

Dein Gemahl, mit dem du dich verbunden,
Wird in keiner Unruh je gefunden.
Drum, so du mit ihm willst selig nisten,
Schwenk dich in die ungeschaffne Wüsten.

3

Töt in dir all eitele Verlangen
Und was sonsten dich noch hält gefangen.
Halt dein Herz und deine Kräft und Sinnen
Ledig und mit wahrer Andacht innen.

4

Steig hinauf mit englischen Geberden
Und vergiß der Dinge, die auf Erden.
Halte dich dem Eingen abgescheiden,
Der dich ewig trösten kann und weiden.

5

Also wird der König dich begehren
Und sein gnädges Antlitz dir gewähren.
Also wird der Bräutigam dich küssen
Und du seiner wonniglich genießen.

6

Drum flieg auf, mein Täublein, meine Seele,
Schwing dich aus den Schranken deiner Höhle.
Flieg zu Gott mit innigem Gemüte
Und empfah sein ewge Lieb und Güte.

CL

Die Psyche begehrt ganz und gar zu Gott

1

Du tausendliebster Gott, mein innigstes Verlangen,
Mein ewges Freudenlicht, das mir mein Herz gefangen,
Nimm mich doch ganz zu dir,
Mein einzige Begier,
Nimm mich doch ganz zu dir.

2

Du Abgrund meines Geists, du Räuber meiner Sinnen,
Du zuckersüßer Tod, der mich nun führt von hinnen,
Nimm mich doch ganz zu dir,
Mein einzige Begier,
Nimm mich doch ganz zu dir.

3

Du höchst gesuchter Schatz, du liebelichstes Leben,
Du ganz begierlichs Gut, dem ich mich muß ergeben,
Nimm mich doch ganz zu dir,
Mein einzige Begier,
Nimm mich doch ganz zu dir.

4

Du hohes Freudenmeer, du Brunnquell aller Lüste,
Du aller Geister Ruh, du angenehme Wüste,
Nimm mich doch ganz zu dir,
Mein einzige Begier,
Nimm mich doch ganz zu dir.

5

Du innigs Paradeis, du unvergleichlichs Wesen,
Du einger Lebensbrunn, in dem ich muß genesen,
Nimm mich doch ganz zu dir,
Mein einzige Begier,
Nimm mich doch ganz zu dir.

CLI

Die Psyche freut sich aufgelöst zu werden

1

Die Zeit geht an, die Jesus hat bestimmt,
Da alles Leid bei mir ein Ende nimmt.
Gehab dich wohl, mein Kerker, böse Welt,
Mit allem dem, was deinem Geist gefällt.

2

Komm, meine Seel, wir wollen nunmehr gehn,
Wo Gottes Sohn und seine Diener stehn.
Wir wollen uns gesellen zu der Schar,
Die unverrückt frohlocket immerdar,

3

Gebenedeit sei ewig dieser Tag,
In welchem ich durch Gott verlassen mag,
Was sterblich ist und blendet mein Augenlicht,
Daß ich nicht seh des Liebsten Angesicht.

4

Ach Jesu Christ, mein Leben in dem Tod,
Mein Trost in Pein, mein Freund in Angst und Not,
Ich wende mich mit aller Kraft zu dir,
Ach, tu mir auf die süße Lebenstür.

5

Ich gebe dir von ganzem Herzen hin,
Was du erlöst und was ich durch dich bin.
Nimm meine Seel, wenn sie vom Leib ist los,
In deine Hand und väterliche Schoß.

6

Du bist mein Ziel, mein Ende, Ruhm und Preis,
Mein Mittelpunkt, mein süßes Paradeis.
In dir allein findt meine Seele Ruh,
Drum seufz ich auch dir unaufhörlich zu.

271

7

Ach, ach, wie sehr verlangt mich doch nach dir,
Komm doch, mein Trost, mein Leben komm zu mir.
Verzeuch doch nicht, aus dieser finstern Höhl
In deinen Hof zu holen meine Seel.

8

Ich warte schon mit sehnlichem Verdruß
Auf dich, mein Lieb, und deinen ewgen Kuß.
Ich bin fast krank und mein verliebter Geist
Ist gleichsam weg von mir nach dir gereist.

9

Jedoch, damit ich dir nichts schreibe für,
So will ich gern und willig bleiben hier,
Bis kommt die Zeit, in welcher ich als Braut
Dir, meinem Gott und Bräutgam, werd getraut.

CLII

Sie freut sich, daß sie ins Haus des Herrn wird eingehen

1

Freud über Freud, was hab ich gehört!
Was hat für Trost mein Herze betört!
Wir werden ins Haus des Herrn eingehn
Und immer und ewiglich wohl mit ihm stehn.

2

Er wird uns zeigen alles sein Gut,
Sein Angesicht und freundlichen Mut.
Wir werden ihn schauen, gleich wie er ist,
Und wie er so wunderlich uns hat erkiest.

3

Wir werden ihm mit jauchzendem Mund
Lobsingen für den ewigen Bund.
Wir werden ihn mit den englischen Chörn
Ohn alles Ersättigen loben und ehrn.

4

Wir werden da, o selige Lust,
Frei dürfen zu der göttlichen Brust.
Wir werden Gott küssen und allen Genuß
Empfangen von seiner Dreifaltigkeit Kuß.

5

Es wird da schmecken unsere Kehl,
Wie süß er ist ohn alles Gefehl.
Es werden Gemüt, Herz, Leben und Sinn
Vor inniger Liebe zerfließen in ihn.

6

Wir werden gleich mit ihme regiern,
Den Zepter, den er selber hält, führn.
Wir werden mit ihm besitzen zugleich
Ein einige Glory und einiges Reich.

7

Freud über Freud, ich habe es gehört,
Mein Trost und Hoffnung ist mir vermehrt!
Wir werden ins Haus des Herren hinein
Und ewiglich das, was er selber ist, sein.

CLIII
Sie sehnt sich nach der ewigen Herrlichkeit

1

Wie schön bist du, mein Leben und mein Licht,
Wie lieblich ist dein holdes Angesicht!
Wie hoch begierlich ist die große Freud und Wonne,
Die man in dir genießt, du ungeschaffne Sonne.

2

Mein Herze seufzt und sehnet sich nach dir,
Den Geist verlangt mit schmerzlicher Begier.
Wer wird mir endlich doch, daß ich dich schaue, geben
Und meine Blödigkeit in deinen Glanz erheben.

3

Wie herrlich ist dein göttliches Palast,
Das du in dir zu deiner Wohnung hast!
Wann werd ich dermaleinst in deinen Tempel gehen
Und deiner Majestät allda zu Diensten stehen.

4

Wann werd ich dir mit englischem Gesang
Für deine Treu erzeugen Lob und Dank?
O meines Herzens Gott, wann werd ich dich dort oben
Mit deinen Heiligen in ewgem Jubel loben!

5

Ach, daß ich doch mich noch nicht soll erfreun
Und dir daselbst das Halleluja schrein!
Wann werd ich denn vor dich mein arme Seele bringen
Und deiner Würdigkeit das ewge Sanktus singen?

6

O wahrer Trost, wann wird es denn geschehn,
Daß ich dich werd ohn alles Mittel sehn?
Wann werd ich, wie du bist, dich schauen und empfinden
Und in dich, süße Flut, zerfließen und verschwinden.

7

Wer ist dir gleich, wer ist so groß als du?
Wer sitzt so stolz in ewger Freud und Ruh?
Wer weiß den Überfluß der Reichtümer zu schätzen,
Mit welchen du mich wirst in Ewigkeit ergätzen.

8

Du bist allein mein ewges Freudenmeer,
Bist all mein Gut und was ich nur begehr.
Ich werde mich an dir nicht satt genugsam sehen,
Wenn deiner Herrlichkeit Eröffnung wird geschehen.

9

Wird auch mein Geist in ihm sein zu der Zeit,
Wenn ich, o Gott, werd eingehn in die Freud?
Werd ich auch von mir selbst vor großer Wollust wissen,
Wann deiner Gottheit Strom in mich sich wird ergießen?

10

Ach, es vergeht mir jetzt schon Kraft und Sinn
Und mein Gemüt ist aus mir nach dir hin.
O wonnigliches Gut, zeuch doch mein ganzes Wesen
In deinen Abgrund ein, so bin ich wohl genesen.

CLIV

Sie bittet für die Freunde ihres Geliebten

1

Ihr treuen Seelen, die ihr seid
In Christo abgeleibet
Und von der ewgen Fröhlichkeit
Noch ausgeschlossen bleibet,
Wie gerne wollt ich euer Not
Zu Statt und Hilfe kommen,
Daß ihr ins Freudenreich zu Gott
Möcht werden aufgenommen.

2

O Vater der Barmherzigkeit,
O Gott voll Trost und Güte,
Schau sie doch an mit Freundlichkeit,
Wend ab das Zorngemüte.
Sie haben zwar verdient die Pein,
Dich aber doch bekennet,
Drum schon' und laß vergeben sein,
Daß sie so blind gerennet.

3

O Jesu voller Mildigkeit,
O Heiland auserlesen,
Erlöse doch aus allem Leid,
Was durch dein Blut genesen.
Verzeih, laß spüren deine Huld,
Die dich inbrünstig lieben,
Erlaß die Straf, lösch aus die Schuld,
Weil sie getreu geblieben.

4

O heilger Geist, du süßer Trost,
Du Advokat der Armen,
Laß sie doch nicht ohn Lieb gekost
Und wirkliches Erbarmen.
Führ sie aus ihrer Hitz und Glut,
Daß sie sich sanft erkühlen,
Und laß sie ewig all dein Gut
Und deinen Frieden fühlen.

5

Maria, süßer Gnadenfluß,
Du Trösterin im Leiden,
Halt auf des Urteils strengen Schluß
Und was so scharf tut schneiden.
Vermeng die Flamm mit deiner Gunst
Und lindere die Schmerzen,
Lösch aus das Feur, kühl ab die Brunst
Und still die Angst im Herzen.

6

Ihr Engel, die ihr uns bewacht
Und diese Seeln geführet,
Nehmt doch die Ärmsten jetzt in acht
Und tut, was euch gebühret.
Treibt alle frommen Herzen an,

Daß sie an sie gedenken
Und ihnen, was sie Guts getan,
Zu Hilf und Beisteur schenken.

7

Ihr all auch, die ihr schon bei Gott
In ewgen Freuden lebet,
Erbarmet euch doch ihrer Not,
Schaut, daß ihr sie erhebet.
Weil sie die Trübsal und Elend
Mit euch geschmeckt auf Erden,
So macht auch, daß sie nun behend
Der Ruhe würdig werden.

8

O Ursprung aller Gütigkeit,
O Brunnquell des Erbarmen,
Laß doch der Frommen Herzeleid
Verhelfen diesen Armen.
Der Richtplatz deiner Grechtigkeit
Ist in dem höllschen Leiden,
Das Danklied deiner Mildigkeit
Singt man ins Himmels Freuden.

CLV

Betrachtung der peinlichen Ewigkeit

1

O Ewigkeit! O Ewigkeit!
Mein Herz muß in mir weinen,
Wenn es das Unend deiner Zeit
Bedenkt und deine Peinen.
Ich werde blaß und ungestalt
Ob deiner Jahre Länge,
Ich bin erstaunt und sterbe bald
Vor deiner Qualen Menge.
Ach, ach, was ist die Ewigkeit!

2

Miß alle Tropfen, die im Meer,
In Flüssen und in Brünnen,
Zähl alle, die von oben her
Gefalln und fallen können.
Rechn alle Flocken noch dazu,
Die je der Schnee gegeben,
So ist doch diese Zahl ein Nu
Zum ewgen Jammerleben.
Ach, ach, was ist die Ewigkeit!

3

Zähl alles Laub, mit welchem je
Die Wälder uns erfreuet,
Und alles Gras, das spät und früh
Die Zeit hat abgemeiet,
Auch noch die Stäublein allzumal,
Die in der Sonne streichen,
So wirst du doch noch nicht die Zahl
Der Ewigkeit erreichen.
Ach, ach, was ist die Ewigkeit!

4

Setz einen Berg, der mit der Spitz
Des Himmels Burg berühre,
Und seiner starken Wurzeln Sitz,
So weit die Welt geht, führe.
Trag dann ein einzigs Gränelein
In tausend Jahrn herunter,
So bleibt doch noch die ewge Pein,
Wenn er ganz weg ist, munter.
Ach, ach, was ist die Ewigkeit!

5

Beschreib das ganze Firmament,
So dicht du kannst, mit Zahlen,
Laß drauf die Erd bis an ihr End
Mit Ziffern übermalen.

Sprichs aus, so's dein Verstand vermag,
So wirst du doch nicht sprechen
Das Jahr, in dem der erste Tag
Der Ewigkeit wird brechen.
Ach, ach, was ist die Ewigkeit!

6

Die Ewigkeit ist wie ein Kreis,
Der in sich selber gehet,
Wie eine Schlange, die mit Fleiß
Auf sich gewunden stehet.
Ist wie ein Rad, das fort und fort
Um seine Well sich schwinget
Und doch nicht einen Ruck zum Port,
So lang sie währet, bringet.
Ach, ach, was ist die Ewigkeit!

7

Sie ist ein Feuer, dessen Brunst
Von seinem eignen zehret,
Ein Brand, der sich durch sondre Kunst
Von seinem Dampf ernähret.
Sie ist ein Rachen und ein Schlund,
Der sich stets selbst verschlucket,
Sie ist ein Abgrund ohne Grund,
Der immer tiefer rucket.
Ach, ach, was ist die Ewigkeit!

8

Wenn du vermeinst, sie sei nun aus
Nach hunderttausend Zeiten,
So tut sie erst ihr Trauerhaus
Das erstemal beschreiten.
Wenn sie sich endt, so fängt sie an,
Ihr Anfang, der ist immer,
Ihr Mittel schaut sie niemals an,
Wie auch ihr Ende nimmer.
Ach, ach, was ist die Ewigkeit!

9

Sie ist ein ungeheure Glut,
Die unerleidlich brennet,
Ein schneidend Schwert, das Mut und Blut,
Das Leib und Seel zertrennet.
Sie ist ein Wurm, der Tag und Nacht
In dem Gewissen naget,
Sie ist ein Stachel, der mit Macht
Die Herzen sticht und plaget.
Ach, ach, was ist die Ewigkeit!

10

Sie ist ein Donner und ein Blitz,
Der ohne Trost erschrecket,
Ein Strahl, der mit subtiler Hitz
Durchdringet und erstecket.
Ein Sturm, der alls, was Hoffnung heißt,
Im Grimm zu Boden schläget,
Ein Ungewitter, das im Geist
Ein ewges Weh erreget.
Ach, ach, was ist die Ewigkeit!

11

Sie ist ein Abscheu, eine Kluft,
Die das Gesicht bestürzet,
Ein tiefes Loch und finstre Gruft,
Die alle Bahn abkürzet.
Sie ist ein Kerker, den der Schein
Der Sonne nicht begrüßet,
Ein Fessel, welches Mark und Bein
Ohn Auslaß in sich schließet.
Ach, ach, was ist die Ewigkeit!

12

Sie ist ein Wütrich und Tyrann,
Ein ewger Herzenbrecher,
Ein grausam Tier und zornger Mann,
Ein strenger Sündenrächer.

Sie ist ein Heulen und ein Schrein,
Ein ewger Seelenjammer,
Ein ewiges Vermaledein,
Ein ewiger Verdammer!
Ach, ach, was ist die Ewigkeit!

13

Sag, was du willst, die Ewigkeit
Wird nie genug beschrieben.
Wer weiß die Höh der Grausamkeit,
Die sie pflegt zu verüben.
Kein Auge hat ihrn Schlund gesehn,
Kein Ohr ihr Brülln vernommen,
Es ist auch ihre Qual und Drehn
Noch in kein Herze kommen.
So grimmig ist die Ewigkeit!

CLVI

Die Psyche preist die unbefleckte Empfängnis der heiligen Jungfrau Maria

Zur Metten

1

Sei gegrüßt, du Frau der Welt,
Königin ins Himmelszelt,
Reinste Jungfrau der Jungfrauen,
Morgenstern, auf den wir schauen.

2

Sei gegrüßt, du göttlichs Licht
Voller Gnad, schön zugericht.
Komm zu Hilf dem Erdenkreis,
Du, o aller Frauen Preis.

3

Dich hat Gott von Ewigkeit
Ausersehn, gebenedeit,
Dich zur Mutter auserkorn,
Daß sein Wort von dir geborn.

4

Dich hat er ganz schön geziert
Und zur Braut sich zugeführt,
Dich, in der die sündig Art
Adams nie gespüret ward.

Zur Prim

5

Weise Jungfrau, sei gegrüßt,
Haus, welchs Gott geweihet bist,
Siebensäulig aufgeführt,
Mit gedecktem Tisch geziert.

6

Sei gegrüßt, du edle Frucht,
Frei von aller Sündensucht,
Heilig, rein und auserkoren,
Ehe du noch warst geboren.

7

Mutter alles, was Gott lebt,
Tür der Heilgen, hoch erhebt,
Neuer Stern von Jakobs Stamm,
Frau der Engel, sanfte Flamm.

8

Satans Schrecken wie ein Blitz,
Kriegesheer, Schwert und Geschütz,
Sei der Christen unser Port,
Unser Zuflucht fort und fort!

Zur Tertie

9

Sei gegrüßt, du Arch der Pflicht,
Salmons Thron voll Glanz und Licht,
Regenbogen schön geneigt,
Brombeerstrauch, da Gott sich zeigt.

10

Rute, die stets grünt und blüht,
Gedeons Fell, wie man sieht!
Samsons Honig für und für,
Zugeschlossne Gottestür.

11

Billig war es, daß dein Kind,
Der seins gleichen nirgend findt,
Vor dem Erbfall hat behüt
Deine Seel, Leib und Geblüt.

12

Denn weil er dich auserkoren,
Um zu sein aus dir geboren,
Hat er auch in keiner Schuld
Wissen wollen solche Huld.

Zur Sechste

13

Tempel der Dreifaltigkeit,
Kammer ewger Reinigkeit,
Freude, die der Engel küßt,
Mutter, Jungfrau, sei gegrüßt.

14

Trost in Trübsal und in Leid,
Garten der Wollüstigkeit,
Wahre Palme der Geduld,
Zederbaum der keuschen Huld.

15

Erde, die gebenedeit,
Priesterlich von Gott geweiht,
Heilig und von Evens Fall
Frei erhalten überall.

16

Du, des Allerhöchsten Stadt,
Morgenpforte, die er hat,
Jungfrau sonderbarer Zier,
Alle Gnade wohnt in dir.

Zur None

17

Stadt der Zuflucht sei gegrüßt,
Fester Turm, recht zugerüst
Mit der Schutzwehr und dem Schild
Davids, schön und wohlgebildt.

18

Durch der Liebe Feurigkeit
Hast du zur Empfängniszeit
Der vergiften Schlangen Schlund
Unterdrückt, zerknirscht zu Grund.

19

O du Weib von großem Mut,
Judith, die nichts scheuen tut,
Schönste Abisai der Welt,
Die den wahren David hält.

20

Rahel hat den Mann gebracht,
Der Ägypten Kost gemacht.
Aller Welt Heil, Trost und Zier
Bringt Maria uns herfür.

Zur Vesper

21

Sei gegrüßt, du Sonnenuhr,
Dran die Sonn zurücke fuhr,
Da das Wort der Ewigkeit
Fleisch ward und ein Kind der Zeit.

22

Daß der Mensch vom tiefsten Tal
Würd erhebt in höchsten Saal,
Wird der Höchste, den man denkt,
Niedrig und herabgesenkt.

23

Nun von dieser Sonnen Strahlen
Ist Maria voller Prahlen,
Diese Rötin hat von ihr
Zur Empfängnis Zeit und Zier.

24

Diese Lilie, die das Haupt,
Kraft und Macht der Schlang geraubt,
Leuchtet wie der Mondenschein
Denen, die verirret sein.

Zum Completorio

25

Sei gegrüßt, schöns Blümelein,
Mutter unbefleckt und rein,
Königin voll Mildigkeit,
Derer Krons Gestirn bereit.

26

Du bist ohne Makel ganz,
Rein vor aller Engel Glanz,
Stehst bei Königs rechter Hand
Im vergoldeten Gewand.

27

Gib, daß wir, du Brunn der Huld,
Hoffnung aller, die beschuldt,
Meeresstern und süßes Licht,
Zuflucht, denens Schiff gebricht,

28

Offenstehnde Himmelstür,
Heil der Kranken für und für,
Auf der Heilgen schönsten Auen
Unsern König Jesum schauen.

CLVII

Der Hymnus: Jesu corona virginum

1

Jesu, der Jungfraun Kron und Lohn,
Den jene Mutter trägt und führt,
Die Jungfrau bleibt, wenn sie gebiert,
Laß unsre Bitt vor deinen Thron.

2

Du bist mit Lilien ganz bespickt,
Umschränkt mit der Jungfrauen Schar,
Der schönste Bräutgam, der je war,
Der seine Bräut aufs höchste schmückt.

3

Wo du hingehst, da folget dir
Der Jungfraun Chor und zwingt mit Lust
Dein Lob aus ihrer keuschen Brust
In süßem Tönen für und für.

4

Dich bitten wir demütiglich,
Daß du zu deinem Lob und Preis
Uns wollest lauter, rein und weiß
Erhalten jetzt und ewiglich.

5

Kraft, Ehre, Lob und Herrlichkeit
Sei Gott dem Vater samt dem Sohn
Und heilgem Geist in einem Thron
Von nun an bis in Ewigkeit.

CLVIII

Die Psyche verlangt eine Perle-Mutter der Perle Jesu zu sein

1

Perl aller keuschen Seelen,
Vor tausenden erkorn,
Jns heilgen Geistes Höhlen
Gezeuget und geborn,
Ach, laß doch meines Herzens Schrein
Auch deine Perle-Mutter sein!

2

Laß mich dein Feur ausglühen
Mit seiner starken Glut,
Mach lilienförmig blühen
Geist, Seele, Fleisch und Blut,
Damit nur meines Herzens Schrein
Kann deine Perle-Mutter sein.

3

Ich will mich fest verschließen
Vor allm, was du nicht bist,
Will sonst von niemand wissen
Als nur von Jesu Christ,
Auf daß nur meines Herzens Schrein
Mag deine Perle-Mutter sein.

4

Ich will sonst nichts empfangen
Als nur den Himmelstau,
Den Tau, durch den du gangen
In deiner Mutter Au,
Damit nur meines Herzens Schrein
Auch möge deine Mutter sein.

5

So träufle denn herunter,
Du Geist der Ewigkeit,
Daß fruchtbar werd und munter
Meins Geistes Innigkeit,
Damit auch meines Herzens Schrein
Mag Jesu Perle-Mutter sein.

CLIX

Sie bittet um Keuschheit

1

Du keusche Seele, die du mich
Anreizest keusch zu lieben dich,
Wann wird denn deine keusche Brunst
Verzehret haben allen Dunst?

2

Ich wollte, daß mein Herz und Sinn
So keusch wie deine möchten blühn.
Ich wollte, daß mein Fleisch und Blut
Wie deines wär, o keusches Gut.

3

Ich weiß, daß du, o keuscher Gast,
Dein Lusthaus in der Keuschheit hast.
Ich weiß, daß dir mit keuschem Herzen
Beliebt zu spielen und zu scherzen.

4

Du bist der Keuschen Bräutigam,
Der Keuschheit Ursprung, Wurzel, Stamm.
Du gibst und säest keuschen Rat,
Wer dir nur folgt auf frischem Pfad.

5

So säe denn auch keusche Lust
In mein Gemüt und meine Brust.
Vertreib aus meinem Fleisch und Blut
Alls, was zum Fleisch anreizen tut.

6

Zeuch mich mit deiner Keuschheit an,
Verhüll mich mit der Keuschheit Fahn,
Daß ich, du Keuscher, frisch und frei
Dein keuscher Tempel ewig sei.

CLX

Sie singt ihm ein fröhliches Morgenlied

1

Weil ich schon seh die goldnen Wangen
Der Morgenröt am Himmel prangen,
So will auch ich dem Himmel zu.
Ich will der Leibsruh Abschied geben
Und mich zu meinem Gott erheben,
Zu Gott, der meiner Seele Ruh.

2

Ich will durch alle Wolken dringen
Und meinem süßen Jesu singen,
Daß er mich hat ans Licht gebracht.
Ich will ihn preisen, will ihm danken,
Daß er mich in des Leibes Schranken
Durch seinen Engel hat bewacht.

3

Er ist die Sonne, deren Strahlen
Mehr als sonst tausend Sonnen prahlen,
Er ist das wesentliche Licht.
Er ist der Schein, der in die Herzen
Vor allem Heer der Himmelskerzen
Wie ein gewünschter Blitz einbricht.

4

Er machet uns zum Freudenhimmel,
Verjagt des bösen Feinds Getümmel,
Vertreibet alle Traurigkeit.
Er reinigt unsre Seel von innen,
Er geußt in unsere Kräft und Sinnen
Den Vorschmack ewger Seligkeit.

5

Er ist mein Himmel, meine Sonne,
Meins Herzenstag und meine Wonne,
Mein Abend- und mein Morgenstern.
Er macht mir Leib und Seele munter,
Er geht allein mir niemals unter,
Wenn ich nur mich nicht ihm entfern.

6

Hätt ich jetzt hunderttausend Zungen,
So müßt er sein mit alln besungen,
Mit alln gelobet und gepreist.
Es müßt ihm schon von ihnen allen
Ein schönes Dankgeschrei erschallen,
So weit als Sonn und Monde reist.

7

Ei, daß doch alles Gras der Erde
Zu lauter schönen Stimmen werde

Und alle Tropfen in dem Tau.
Ei, daß doch alles Laub der Wälder
Ihn lob mit allem Kraut der Felder
Und allen Blumen auf der Au.

8

Es stimme, was im Wasser schwimmt,
In Lüften lebt, im Feuer glimmt,
Zu seinem Lobe mit mir ein.
Es wollen aller Engel Chöre,
Daß ich ihn herrlicher verehre
Und alle Heilgen mit mir schrein.

9

Er wolle selbst mein Tun und Dichten
Zu seinen lautern Ehren richten,
Das Herz regieren und den Mund.
Die Sinne, Willn und Kräfte stärken
Zu aller Zucht und guten Werken,
Erhalten Leib und Seel gesund.

10

Er wolle mir Genade geben,
Daß ich ihn mehr mit meinem Leben
Als mit den Worten ehr und preis.
Er wolle mich zu allen Zeiten
Auf seinem Weg und Stege leiten
Bis in seins Herzens Paradeis.

11

Ehr sei dem Vater, Ehr dem Sohne,
Dem heilgen Geist in einem Throne
Sei gleicher Dienst und Ehr erweist.
Die göttliche Dreieinigkeit
Sei hier und dort in Ewigkeit
Mit Dank, Lob, Ruhm und Ehr gepreist.

CLXI
Sie schenkt ihrem Geliebten ihr Herze
in unterschiedener Gestalt zu einem Morgengeschenk

1

Großer König, dem ich diene,
Der mir an der Himmelsbühne
Wiederum das Licht anzündt,
Der jetzt und zu allen Zeiten
Mit viel tausend Gütigkeiten
Mir mein Herz und Sinn gewinnt.
Dich mit etwas zu beschenken,
Soll ich billig auch gedenken.

2

Du zernichtst auf allen Seiten
Meiner Feinde Tätlichkeiten,
Haltest um und um mich Wacht.
Du verleihst dem Leib und Sinnen,
Daß sie ruhn und schlafen können,
Bist mein Licht auch in der Nacht.
Drum soll ich ja wohl gedenken,
Dich mit etwas zu beschenken.

3

Aber was werd ich wohl eben
Dir, dem ewgen Reichtum, geben,
Der ich nichts als Armut bin.
Werd ich auch wohl etwas finden,
Daß ich mir dich kann verbinden,
Das du wollest an dich ziehn?
Schau, ich will mein Herz gar eben,
Wie ich immer kann, dir geben.

4

Erstlich will ich dirs von neuem
Gar zu einem Tempel weihen,

Der da ewig heilig sei.
Dann als ein'n Altar dir geben,
Daß du dich drauf, o mein Leben,
Gotte für mich opferst frei.
Ach, verbrenne doch darinnen
Alle Lust und schnöde Sinnen!

5

Weiter schenk ich dessen Höhle
Deiner allerliebsten Seele
Als ein Bräutgamskämmerlein.
Als ein Brautbett keuscher Freuden
Von der schönsten weißen Seiden,
Gleich dem helfenbeinern Schrein.
Ach, daß deine keuschen Flammen
Schmelzten mich und dich zusammen!

6

Fort schenk ichs als eine Rose,
Die dein Atem liebekose
Und ohn Aufhörn in sich zieh.
Auch als eine Lilienblume,
Die durchaus dir, Herr, zu Ruhme
Ausgebreit steh spät und früh.
Ach, könnt ich doch von der Erden
So in dich gezogen werden!

7

Ferner soll es auch noch dienen
Deiner Majestät zur Bühnen,
Deiner Herrlichkeit zum Thron.
Zum Palast und ewger Wonne
Will ichs dir, o meine Sonne,
Geben, großer Gottessohn.

Ach, komm doch hereingezogen
Von dem hohen Himmelsbogen!

8

Noch schenk ichs auch als ein'n Garten,
Voll Gewächse schönster Arten,
Voller Blüt und Lieblichkeit.
Als ein Lustwald, als ein Bronnen,
Der wie strömend kommt geronnen,
Fließend in die Ewigkeit.
Ach, daß du doch diesen Garten,
Liebster Gärtner, wolltest warten!

9

Endlich seis auch als ein Himmel,
Der entfernt von allm Getümmel
Dir, dem Himmelsherrn, geschenkt.
Als ein angenehme Wüste,
Als ein Abgrund ewger Lüste,
Da dein Geist sich hin versenkt.
Ach, wenn ich mit dir versinkte
Und ganz seliglich ertrinkte!

10

Nun, ich hab es dir, mein Leben,
Wie ich nur vermocht, gegeben,
Steh mir in Genaden bei.
Hilf, daß es zu allen Stunden
Werde dieses alls gefunden
Und dein ewge Wonne sei.
Jag aus meinem armen Herzen
Alle Welt und irdschen Schmerzen.

CLXII

Sie lobsingt Gott nach dem Essen

1

Laßt uns den Herren preisen
Mit wonniglichen Weisen,
Laßt uns Dankopfer bringen,
Von Herzensgrund lobsingen,
Daß seine Güt und Gnad
Uns jetz erquicket hat.

2

Er hat uns reichlich geben,
Was wir bedurft zum Leben,
Hat Speis und Trank bescheret,
Daß wir uns wohl genähret
Und seine milde Hand
Gar sichtbarlich erkannt.

3

Er woll uns auch verleihen
Und innig benedeien,
Daß wir mit allm Verlangen
Stets würdiglich empfangen
Für'n ewgen Seelentod
Ihn selbst, das Himmelsbrot.

4

Dann woll er uns auch bringen
Hin, wo die Engel singen,
Daß wir in höchsten Freuden
Auf seiner Gottheit weiden
Und sinken in den Wein,
Der er, Gott selbst, wird sein.

5

Ehr sei in einem Throne
Dem Vater und dem Sohne,
Dem heilgen Geist ingleichen
Woll alls zur Ehr gereichen,
Wie es jetzt ist und war
Und sein wird immerdar.

CLXIII

Sie singt ihm ein Abendlied

1

Der Tag ist nunmehr hin,
Die Nacht fängt aufzuziehn.
Kommt, daß ich weit und fern
Auf alle Weg und Weise
Lobsinge, dank und preise
Gott, meinem Abendstern.

2

Ihm soll mein Herz und Sinn
Und alles was ich bin,
Mein Geist und mein Gemüt
Zu tausendmalen danken,
Daß er mich in dem Schranken
Vor Unfall hat behüt.

3

Es komme her zu mir
Des Himmels ganze Zier,
Die schon zeucht auf die Wacht,
Und helfe mir von oben
Ihn überschwenglich loben
Durch diese ganze Nacht.

4

Es rege sich die Luft
Aus der und jener Gruft.
Es weh der Abendwind
Mit einem sanften Sausen
Und angenehmen Brausen
Sein Lob und Ehr geschwind.

5

Der heilgen Geister Schar,
Die uns stets vor Gefahr
Bewachet und bewahrt,
Woll ihn statt meiner preisen
Mit ihren schönen Weisen
Nach engelischer Art.

6

Er selbst, der große Gott,
Der Herr, der Sabaoth,
Der Vater, Sohn und Geist,
Der preise seine Güte,
Weil doch mein arms Gemüte
Ihm nie gnug Ehr erweist.

7

Er dank ihm, daß er mich
So unausforschiglich
Erschaffen und erkorn.
Er dank ihm für das Leben,
Das er mir wieder geben,
Da er mich neugeborn.

8

Er preise seine Gnad,
Die mich behütet hat

Vor Sünde, Schand und Spott,
Vor Zorn und Ungelücke,
Vor Feindes Grimm und Tücke
Und vor dem jähen Tod.

9

Auch daß er hat beschert,
Was mich erhält und nährt,
Brot, Trank, Dach, Fach und Kleid,
Daß ich vor Sturm und Winde
Ein sichres Örtlein finde,
Wenns regnet oder schneit.

10

Vor allem preis er sich,
Daß er noch immer mich
In seinem Lob erhält,
Daß ihm die arme Weise,
Mit welcher ich ihn preise,
Verhoffentlich gefällt.

11

Und weil er gar zu gut,
Halt er auch ferner Hut,
Damit mein Seel und Leib
Nicht werde heint beladen
Mit Unglück und mit Schaden
Und unverunruht bleib.

12

Auch laß er meinen Geist
In sich sein ganz verreist,
Daß durch die ganze Zeit
Mein Herze zu ihm wache,
Ihn anred und ihm lache
Mit heilger Innigkeit.

13

Daß wenn die Morgenröt
Ins Himmels Schloß aufsteht
Und meinen Augen winkt,
Ich seine werten Füße
Zu tausendmalen küsse,
Eh sie die Sonn verdringt.

14

Dem Vater sei nun Preis,
Dem Sohne gleicher Weis',
Dem heilgen Geist auch gleich
Preis wie vor allen Zeiten,
Wie in all Ewigkeiten,
Jetzt und im Himmelreich.

CLXIV

Sie verlangt nach der Geburt Christi

1

Wann wird der Liebste meiner Seele
Aus seiner reinen Lilienhöhle
Herfür und mir entgegengehn?
Wann wird die Sonne, die ich meine,
Mit ihrem gnadenreichen Scheine
Aus ihrem Brautbett mir entstehn?
Wann wird mein traurigs Angesicht
Ersehn das ewge Freudenlicht,
Auf welchs es hofft und wart'.

2

Wann wird der edle Schäfer kommen,
Der sich hat meiner angenommen
Und mich schon für sein Schäflein hält?
Wann wird die Ursach meiner Freuden
Mit seiner Gegenwart mich weiden
Und mir sich zeigen auf der Welt?

Wann wird der Hirt und Bräutigam
Bei seiner Braut und seinem Lamm,
Der armen Seele, stehn?

3

Ich seh zwar schon die Purpurwangen
Der edlen Morgenröte prangen
Und voller Tau ihr goldnes Kleid.
Sie bricht herein und tröst die Erde,
Daß ihr die Sonn bald scheinen werde,
Daß er, der Schönste, nicht sei weit.
Ach, daß er doch noch diesen Blick
Herfür brech und mein Herz erquick
Mit seiner Augen Gunst.

4

Ach, geh doch fort und fahr geschwinde,
Du edle Rötin, gleich dem Winde
Und bring uns unsern Jesum bald!
Geh fort und eil, verzeuch nicht länger,
Denn meinem Geist wird immer bänger,
Weil er nicht kommt, mein Aufenthalt.
Geh fort und gib uns doch geschwind
Das ewge Wort, dein wahres Kind,
Den Heiland aller Welt.

5

Ich muß ihn sehn, ich muß ihn haben,
Das höchste Gut, den schönsten Knaben,
Ich muß ihn schaun, das Gottesbild.
Ich muß ihn herzen, muß ihn küssen
Und seinen Gegenkuß genießen,
Daß mein Verlangen wird gestillt.
Ach, daß er doch noch dieses Nu
Mit sich mich setz in wahre Ruh
Und mir sei, was er ist.

CLXV

Die Psyche sehnt sich mit
verlangendem Seufzen nach Christo

1

O Jesu, meine Lieb,
Wie sehn ich mich nach dir!
O wesentliche Sonne,
Mein einge Freud und Wonne,
Wann, wann erscheinst du mir?

2

O angenehmster Gast,
Wie wart mein Herz auf dich!
O tausendliebste Seele,
Wann kommst in meine Höhle,
Wann, wann besuchst du mich?

3

O zuckersüßer Trost,
Den ich alleine mein!
O auserwähltes Leben,
Das meinem Kraft muß geben,
Wann seelst du dich mir ein?

4

O liebelichster Kuß,
Herzlabender Geschmack?
O innigliche Quelle,
Erquickendes Gefälle!
Wann ist dein Ankunftstag?

5

O ewg' Ersättigung,
Ruh aller Liebsbegier,
Fried über allen Sinnen,
Mein einziges Beginnen!
Wann kommst du, Gott, zu mir?

CLXVI

Sie vertröstet die Schäferinnen
der Ankunft ihres Heilandes

1

Seid getrost, ihr Schäferinnen,
Unser Heiland ist nicht weit.
Man wird schon der Lieblichkeit
Seins Geruchs gar eigen innen.
Seid getrost, er kommt heran,
Der so lang gewünschte Mann.

2

Denn er ist schon längst umfangen
Von dem Weibe, seiner Braut,
Und nun kommt er ihr vertraut
Freudenvoll hereingegangen,
Da er außer dem Gezelt
Sich wird zeigen aller Welt.

3

Ach, ich sehe schon den Wagen
Und den helfenbeinern Thron,
Inner dem der Gottessohn
Jesus wird hereingetragen.
Bald dann wird er sich auch mir
Zeigen und selbst gehn herfür.

4

Wie ein Bräutgam voller Wonne,
Der aus seiner Kammer geht,
Und gleich wie wenn sie aufsteht
Die behende Himmelssonne,
Also wird sein Glanz und Schein
Unsern armen Seelen sein.

5

Seid getrost, ihr Schäferinnen,
Eure Hoffnung wird nun wahr.
Euer Glaube sieht es klar
Und die Sinne werdens innen.
Seid getrost, freut euch mit mir,
Denn er kommt und ist schon hier.

CLXVII

Sie verkündigt die Ankunft des Bräutigams

1

Der Bräutgam kommt, der Bräutgam kommt,
Auf, auf, ihr Hochzeitleute!
Geht ihm entgegen unverstummt,
Ihr Jungfern, seine Bräute!
Geht ihm entgegen, geht heraus
Aus euch und eurer Selbheit Haus.

2

Nehmt eure Lampen, schmückt sie schön
Mit heiligen Begierden.
Geht aus mit Lieb und Lobgetön,
Mit tugendhaften Zierden.
Geht aus, geht mit Gerechtigkeit,
Mit Demut und Bescheidenheit.

3

Vergesset eures Vaters Haus
Und kehret ihm den Rücken,
Geht von'n Gespielen allen aus,
Die euch nicht helfen schmücken.
So wird er, der Verliebte, bald
Begehrn eur Antlitz und Gestalt.

4

Auf, auf, versäumt nicht eure Freud,
Ihr auserwählten Bräute,
Geht ihm entgegen, weil es Zeit,
Der Hochzeitstag ist heute.
Wer ihm nicht heut entgegengeht,
Bleibt unvermählt und unerhöht.

CLXVIII

Jesus ist ihr ganz schön

1

Du bist ganz schön, mein edle Zier,
Du bist ganz schön, mein Leben,
Kein Makel wird gespürt an dir,
Kein Tadel dir gegeben.
Du bist ganz schön, mein einges Licht,
Nichts ist, was dir gebricht.

2

Dein Haupt ist wie das feinste Gold,
Dein Augen wie der Tauben,
Dein Antlitz voller Gunst und Hold,
Voll Kraft das Herz zu rauben.
Wer dich nicht liebt, der muß ein Stein
An Leib und Seele sein.

3

Dein Rosenmund, wenn er sich regt,
Verzückt mir Kraft und Sinnen,
Dein Atem, wenn er mich anschlägt,
Zeucht meinen Geist von hinnen.
Was an der Kehle mich erfreut,
Ist ewge Süßigkeit.

4

Dein Leib ist weiß wie Helfenbein,
Grad und voll Majestäten,
Er schimmert wie viel edle Stein
In goldnen Panzerketten.
Den Marmelsäuln, von Ziergold reich,
Sind deine Beine gleich.

5

Kurz, du bist gleich wie die Gestalt
Der Zitronatenwälder,
Ausbündig, blühend, mannigfalt
Wie die gestickten Felder.
Wer dich nicht liebt, du schöner Gott,
Der ist lebendig tot.

CLXIX

Sie erfreut sich der erzeigten Gnade Gottes

1

Steh auf, du strenger Nord,
Steh auf und pack dich fort.
Der Frühling ist vorhanden
In allen meinen Landen.
Ich bin Gott Lob erwarmt,
Er hat sich mein erbarmt.

2

Der Westwind seiner Hold,
Der hat mir wohl gewollt.
Er hat die Kält und Schmerzen
Verjagt aus meinem Herzen,
Hat den verstarrten Sinn
Erweichet und dahin.

3

Nun läßt die Turteltaub
Sich hören auf dem Laub.
Es grünt meins Geistes Anger
Und geht mit Blumen schwanger.
Ich bin nun voller Freud
Ob der Genadenzeit.

4

Dem höchsten Gott sei Dank
Mit ewgem Lobgesang.
Es preise seine Güte
Mein Herz und mein Gemüte.
Es mach ihn groß mein Mund
Und tu sein Allmacht kund.

5

Er wolle doch forthin
Regieren meinen Sinn,
Mein Herz aufs neu entzünden
Und mehr mit ihm verbinden,
Daß ich mit heilger Brunst
Beharr in seiner Gunst.

CLXX

Sie liebt das Gebot Christi

1

Wie süß ist dein Gebot,
Du süßer Liebesgott!
Wie sanft und lind ist doch
Dein angelegtes Joch!
Wie lieblich, deinen Willen
Vollkömmlich zu erfüllen!
Wie leicht ist, die du hast
Uns auferlegt, die Last.

2

Du heißest mich, allein
Der Lieb ergeben sein.
Du forderst nichts von mir
Als heilge Liebsbegier.
Ich soll den Nächsten lieben
Und mich im Lieben üben,
Und daß ich dieses kann,
Zündst du mich selber an.

3

Du gibst mir deinen Geist,
Der tut dies allermeist.
Du wirkst durch deine Hold,
Was du von mir gewollt.
Du trägst die keuschen Flammen
In meine Seel zusammen.
Du selbst, du Liebesgott,
Hältst in mir dein Gebot.

4

Ich danke dir, mein Licht,
Daß du mich dies bericht.
Ich danke dir, mein Gott,
Für dieses neu Gebot.
Ich preise dein Gemüte
Für solche Lieb und Güte.
Ich küsse deinen Mund,
Der den Befehl tut kund.

5

Ich will mich auch bemühn,
Solchs einig zu vollziehn.
Ich will bei Tag und Nacht
Mit Fleiß drauf sein bedacht.

Ich will mein Herz und Leben
Dir und dem Nächsten geben.
Gib mir nur, süßer Gott,
Was fordert dein Gebot.

CLXXI
Sie vermahnt zur Nachfolge Christi

1

Mir nach, spricht Christus, unser Held,
Mir nach, ihr Christen alle,
Verleugnet euch, verlaßt die Welt,
Folgt meinem Ruf und Schalle.
Nehmt euer Kreuz und Ungemach
Auf euch, folgt meinem Wandel nach.

2

Ich bin das Licht, ich leucht euch für
Mit heilgem Tugendleben,
Wer zu mir kommt und folget mir,
Darf nicht im Finstern schweben.
Ich bin der Weg, ich weise wohl,
Wie man wahrhaftig wandeln soll.

3

Mein Herz ist voll Demütigkeit,
Voll Liebe meine Seele,
Mein Mund, der fließt zu jeder Zeit
Von süßem Sanftmutöle.
Mein Geist, Gemüte, Kraft und Sinn
Ist Gott ergeben, schaut auf ihn.

4

Fällts euch zu schwer? Ich geh voran,
Ich steh euch an der Seite,
Ich kämpfe selbst, ich brech die Bahn,

Bin alles in dem Streite.
Ein böser Knecht, der still darf stehn,
Wenn er den Feldherrn an sieht gehn.

5

Wer seine Seel zu finden meint,
Wird sie ohn mich verlieren,
Wer sie um mich verlieren scheint,
Wird sie nach Hause führen.
Wer nicht sein Kreuz nimmt und folgt mir,
Ist mein nicht wert und meiner Zier.

6

So laßt uns denn dem lieben Herrn
Mit unserm Kreuz nachgehen
Und wohlgemut, getrost und gern
In allen Leiden stehen.
Wer nicht gekämpft, trägt auch die Kron
Des ewgen Lebens nicht davon.

CLXXII

Sie begehrt von ihrem Meister gelehrt zu werden

1

Treuster Meister, deine Worte
Sind die rechte Himmelspforte,
Deine Lehren sind der Pfad,
Der uns führt zu Gottes Stadt.

2

O wie selig, wer dich höret,
Wer von dir will sein gelehret,
Wer zu jeder Zeit und Stund
Schaut auf deinen treuen Mund.

3

Sprich doch ein in meine Höhle,
Rede doch zu meiner Seele,
Lehr sie halten bis in Tod
Deiner Liebe Liebsgebot.

4

Hilf mich in dem Lieben üben
Und Gott über alles lieben,
Meinen Nächsten gleich wie mich
Laß mich lieben inniglich.

5

Lehr mich englische Geberden,
Laß mir deine Demut werden,
Gieß mir deine Sanftmut ein,
Laß mich klug in Einfalt sein.

6

Also werd ich mich entbinden
Und der Seelen Ruhe finden.
Also werd ich in der Zeit
Sein gelehrt in Ewigkeit.

CLXXIII

Sie bittet um Beistand zur Fastenzeit

1

Du milder Schöpfer, lasse dir
Gefalln das Bitten, welches wir
In dieser heilgen Fastenzeit
Tun senden deiner Gütigkeit.

2

Dir ist der Herzen Grund bekannt,
Du weißt die Kräfte unsrer Hand.
Erteil Genad, erlaß die Schuld,
Dieweil wir komm'n und schrein um Huld.

3

Der Sünden sind zwar viel und groß,
Schon' aber, Herr, und laß uns los.
Weil wir bekennen, komm und eil,
Mach uns zu Ehrn deins Namens heil.

4

Laß, Herr, durchs Fasten Fleisch und Bein
Also zerknirscht und milde sein,
Daß unsre Seel in Nüchterkeit
Von Sünden gänzlich bleib befreit.

5

O selige Dreifaltigkeit,
Einfältigs Ein und Einigkeit,
Verleih, daß, die dir zugetan,
Ihr Fasten fruchtbar bringen an.

CLXXIV

Sie begehrt in die Brust Christi

1

Gegrüßet seist du, süße Brust,
Die mir zum Trost und ewger Lust
So mildiglich geflossen.
Du Balsamritz, du Rosentür,
Du reicher Mund, durch den sich mir
Mein Heilstrom ausgegossen.
Ach, wasch doch ab und schweif geschwind
Von meiner Brust weg alle Sünd.

2

Ich sehne mich in dich hinein,
In dich, du hochgewünschter Schrein,
Sehn ich mich einzuschließen.
Du hast den Schatz, das Herz, in dir,
Das meine Seele für und für
An sich will ziehn und küssen.
Ach, laß mich doch zu meinem Schatz,
Du freudenreicher Herzensplatz.

3

Ich suche Ruh für meine Seel,
Sie will in dich, du stille Höhl,
Du Ruhestätt der Müden.
Ich bin verjagt und auf der Flucht
Und werde von dem Feind gesucht,
Ach, bring mich doch in Frieden!
Ach, laß mich ein zur rechten Zeit,
Du meine Burg und Sicherheit!

4

Ich nahe mich mit keuscher Brunst
Zu dir und suche deine Gunst,
Du goldne Lebenspforte.
Mein Leben hänget bloß daran,
Daß ich mir Atem schöpfen kann
In dir und deinem Orte.
Ach, zeuch mich doch in dich hinein,
Daß ich nicht darf ohn Atem sein.

5

Du hast mich ja schon längst getröst,
Da du am Kreuz dich mir entblößt
Und mütterlich gezeiget.
Da du dein Wasser und dein Blut,

Die rosenfarbne Gnadenflut,
Dem harten Speer gezweiget.
Vollziehs, doch nun zu deiner Lust,
O Brust, o süße Jesus-Brust.

6

Schau, ich setz an meins Geistes Mund
Und saug an deiner offnen Wund,
Als einer Rosenblume.
Ich zieh in mich deins Herzens Saft,
Den edelen Geruch und Kraft
Und stärk mich dir zum Ruhme.
O Jesus, meiner Seelen Lust,
Vergönne mir doch deine Brust!

CLXXV

Sie hält bei dem Lämmlein Jesu um Geduld an

1

Geduldigs Lämmlein, Jesu Christ,
Der du all Angst und Plagen,
Alls Ungemach zu jeder Frist
Geduldig hast getragen,
Verleih mir auch zur Leidenszeit
Geduld und alle Tapferkeit.

2

Du hast gelitten, daß auch ich
Dir folgen soll und leiden,
Daß ich mein Kreuze williglich
Soll tragen und mit Freuden.
Ach, möcht ich doch in Kreuz und Pein
Geduldig wie ein Lämmlein sein.

3

Ich wünsche mir von Herzensgrund,
Für dich geschlacht zu werden
Und, was noch mehr, zu jeder Stund
Gekreuzigt stehn auf Erden.
Doch aber wünsch ich auch dabei,
Daß ich ein Lämmlein Jesu sei.

4

Laß kommen alles Kreuz und Pein,
Laß kommen alle Plagen,
Laß mich veracht, verspottet sein,
Verwundt und hart geschlagen.
Laß aber auch in aller Pein
Mich ein geduldigs Lämmlein sein.

5

Ich weiß, man kann ohn Kreuz und Leid
Zur Freude nicht gelangen,
Weil du in deine Herrlichkeit
Selbst bist durchs Kreuz gegangen.
Wer nicht mit dir leidt Kreuz und Pein,
Kann auch mit dir nicht selig sein.

CLXXVI

Sie begehrt ein Schlachtopfer Christi zu werden

1

Höchster Priester, der du dich
Selbst geopfert hast für mich,
Laß doch, bitt ich, noch auf Erden
Auch mein Herz dein Opfer werden.

2

Denn die Liebe nimmt nichts an,
Was du, Liebe, nicht getan.
Was durch deine Hand nicht gehet,
Wird zu Gott auch nicht erhöhet.

3

Drum so töt' und schlachte hin
Meinen Willen, meinen Sinn.
Reiß mein Herz aus meinem Herzen,
Sollts auch sein mit tausend Schmerzen.

4

Trage Holz auf dein'n Altar
Und verbrenn mich ganz und gar.
O du tausendliebste Liebe,
Wenn doch nichts von mir mehr bliebe!

5

Also wird es wohl geschehn,
Daß der Herr es an wird sehn.
Also werd ich noch auf Erden
Gott ein Liebesopfer werden.

CLXXVII

Jesus ist ihre Zuversicht

1

Der Herr ist meiner Augen Trost,
Mehr als die Sonn am Himmel,
Mein Heil, wenn sich der Feind erbost
Und alle sein Getümmel.

Wenn ich nur ihn erblick, mein Licht,
So fürcht ich mich schon nicht.

2

Ich schiff ohn Zagen auf dem Meer
In allem Ungewitter.
Fliegt gleich mein Schifflein hin und her
Vom Nordwind, dem Zerrütter,
Fahr ich doch fort und seh ihn an,
Den Leitstern, was ich kann.

3

Ich lasse Donner, Hagel, Blitz
Und alles auf mich stürmen,
Schau nur nach meines Sternes Sitz
An seines Himmels Türmen.
Ich fahr voll Hoffnung nach dem Port,
Denn Jesus zeucht mich fort.

4

Ich werde zwar oft schwach und müd
Und bin sehr abgeschlagen,
Weil aber er mich an sich zieht,
So acht ich keine Plagen.
Mein Schifflein wird noch wohl bestehn
Und in den Port eingehn.

5

Ich bin getrost, er wird auch nicht
Zur letzten Zeit mich lassen,
Er wird sein lieblichs Angesicht
Mir zeigen, mich umfassen.
Ich bin getrost und fahre fort
Mit Jesu in den Port.

CLXXVIII

Sie wünscht Christo Glück zu seiner Überwindung und Herrlichkeit

1

Ich wünsche dir Gelück,
Daß du hast überwunden,
Ich wünsche dir Gelück
Und tausend gute Stunden.
Ich freue mich, mein Herr und Gott,
Daß du erstanden bist vom Tod.

2

Ich freue mich durchaus,
Daß du bist aufgefahren
Und in dem Himmelshaus
Gebietst der Engel Scharen.
Ich freue mich ob deiner Freud
Und unerhörten Herrlichkeit.

3

Ich freu mich, daß dir ist
Ein solcher Nam gegeben,
Den man von keinem liest,
Den alle höchst erheben;
Vor dem die Knie biegt, was bei dir
Dort oben, drunten ist und hier.

4

Ich wünsche dir Gelück,
Daß alle Pein verschwunden.
Ich wünsche dir Gelück
Zum Glanze deiner Wunden,
Zu deiner Klarheit, deinem Blitz,
Zu deinem Thron, zu deinem Sitz.

5

Mein Herze fließt vor Gunst,
Daß dir ist, o mein Leben,
Auch noch dazu alls sunst
Vom Vater übergeben.
Ich spring vor Freud, o Jesu Christ,
Daß du der Erden Richter bist.

6

Ach, hilf doch mir auch fort,
Hilf mir auch überwinden.
Führ mich auch in den Port
Und laß mich Gnade finden,
Daß ich mit dir in Ewigkeit
Genieße deiner Seligkeit.

CLXXIX

Sie bittet ihn als ihren Bruder um Erhebung zu seinem Kuß

1

Wer wird mir geben, daß ich dich,
Mein Bruder Jesu, küsse
Und deiner Liebe völliglich
Ohn alle Furcht genieße?
Wer wird mich über mich erheben
Und in dir gänzlich machen leben?

2

Du mußt mich selbst durch deinen Geist,
Mein Allerliebster, zieren,
Durch ihn mußt du mich allermeist
Zu deinem Kusse führen.
Durch ihn kann ich dir gänzlich leben
Und wie ein Bienlein an dir kleben.

3

Du hast ja meiner Mutter Brust,
Der Gottesbraut, gesogen,
Hast ihre Milch mit höchster Lust
In deinen Mund gezogen.
Du bist mein Bruder, kannst mir geben,
Daß ich nicht darf verächtlich leben.

4

Ach, sollt ich dich vor meiner Tür,
Mein Blutsfreund, Jesu, finden!
Ich wollte mich wohl so mit dir
Verknüpfen und verbinden,
Daß du dich müßtest mir ergeben
Und mich zu deinem Kuß erheben.

5

Darum beschwör ich dich, mein Freund,
Bei deiner Mutter Brüste,
Bei deiner Treu, die mich gemeint
Zu bringen aus der Wüste,
Daß du mich ganz in dir machst leben
Und wollst zu deinem Kuß erheben.

CLXXX

Sie findet ihn nach vielem Suchen in ihrem Herzen

1

Psyche, voll heilger Liebsbegier,
Voll feuriger Verlangen,
Ihrs Herzens Schatz und Seelenzier,
Den Bräutgam, zu empfangen,
Lief hin und wieder auf die Straßen
Und sucht ihn emsig ohne Maßen.

2

Sie lief und fragte fort und fort,
Wo ihr Geliebter stünde?
An welchem End, an welchem Ort
Ihr Jesus sich befinde?
Es sollte, wer nur kam, ihr sagen,
Wo sie den Heiland könnt erfragen.

3

Er liegt, sprach sie, im Krippelein
Und an der Mutter Brüste.
Da find ich ihn, ein Kind und klein,
Daß ich gleich mit ihm niste.
Er aber war nur schon entwöhnet,
Sie hatte sich umsonst gesehnet.

4

Da lief sie fort und fiel ihr ein,
Daß er im Feld zu finden.
Sie sprach: er ist ein Feldblümlein,
Da, da werd ich ihn binden.
Er aber war nicht mehr auf Erden,
Konnt ihr auch also da nicht werden.

5

Wart, sprach sie, er war gern allein,
Ich will ihn wohl ergehen
Und lief in alle Wüstenein,
Auf alle Berg und Höhen.
Konnt ihn doch auch da nicht umfassen,
Weil er die allbereit verlassen.

6

Drauf dachte sie, ihn an dem Stamm
Des Kreuzes zu umgeben,
Weil er daran, als Bräutigam,

Gelassen Leib und Leben.
Sie konnt ihn aber nicht bekommen,
Die Mutter hat ihn weggenommen.

7

Da eilte sie mit allem Fleiß,
Ihn suchend in dem Grabe.
Da, sprach sie, wird er mir zu Preis,
Da ists, wo ich ihn habe.
Er aber war schon auferstanden
Und im Grabe nicht vorhanden.

8

Dann schwang sie sich mit Geist und Sinn
In alle Himmelssäle.
Ich weiß, sprach sie, weil er dahin,
Daß ich nicht seiner fehle.
Er aber war auch da nicht drinnen,
Weil all ihn nicht begreifen können.

9

Als dies geschah, sank sie vor Leid
In Ohnmacht und fiel nieder,
Hört aber gute neue Zeit,
Da sie zu sich kam wieder:
Sie sollt in ihren Grund eingehen,
Da würd er sein und ihr gestehen.

10

Stracks kehrte sie sich in sich ein
Und sucht in ihrem Herzen,
Da ward gemindert ihre Pein
Und abgekürzt die Schmerzen.
Sie fand den Liebsten ihrer Seelen
In ihrer eignen Herzenshöhlen.

11

Ach Törin, schrie sie, die du Gott
Von außen meinst zu finden!
Und kannst dich in dir selbst von Not
So leicht durch ihn entbinden.
In dich, in dich mußt du dich kehren,
Wo du willst stillen dein Begehren.

CLXXXI

Sie wird aus dem Herzen Jesu getränkt

1

Denkt doch, ihr Hirten, was für Gunst
Der Psyche hat erzeigt umsonst
Jesus, der Gott der Liebe!
Sie lief in einen Wald hinein
Und sucht ein frisches Brünnelein,
Daß sie beim Ursprung bliebe.

2

Als sie nun manchen Tag und Nacht
Umsonst mit Suchen zugebracht,
Auch fast verschmachten sollte,
Kam er zu ihr, der süße Gott,
Und sprang ihr bei in ihrer Not,
Ihr gebend, was sie wollte.

3

Komm her, mein Schatz, sprach er zu ihr,
Ich bin, der deines Geists Begier,
Der deinen Durst kann stillen.

Ich bin der Ursprung, der zur Stund
Erquicken kann dein Herz und Mund
Und seliglich erfüllen.

4

Und bald vor Lieb und Liebesschmerz
Entblößt er und durchstach sein Herz,
Es lassend auf sie sinken.
Da floß sein rosenfarbnes Blut
Auf sie wie eine milde Flut
Und gab sich ihr zu trinken.

5

Als solchs die Psyche nur erblickt,
Schrie sie voll Trost und ganz erquickt:
Dies ist die Wasserquelle!
Dies ist das Brünnlein, die Fontain,
Der Ursprung, den ich mein allein,
Den trink ich auf der Stelle.

6

Dies sprach sie und trank, was sie kunnt,
Ersättigend ihr Herz und Mund
Mit diesem selgen Bronne.
Sie tränkt ihr durstigs Seelelein
Und senkte sich oft ganz darein
Mit höchster Freud und Wonne.

7

Drum liegt sie noch voll Trost und Lust
An ihres süßen Gottes Brust
Und ist von ihme trunken.
Ihr ganzer Sinn, Verstand und Geist
Ist außer ihr und weggereist
Und in den Quell versunken.

CLXXXII

Die Psyche ist ein Reh und ihr Geliebter ein Jäger worden

1

Ihr Schäferinnen, höret an,
Was unsere Psyche hat getan,
Was sich mit ihr begeben!
Sie hat in eine Wüstenei
Die Flucht genommen, um da frei
In Einsamkeit zu leben.

2

Sie hat gleichwie ein junges Reh
Durchs ebne Feld hin auf die Höh
Der Berge sich geschwungen.
Hat manches Tal und manche Kluft,
Die ihrem Laufen nachgeruft,
Gar listig übersprungen.

3

Als dies gehört des Höchsten Sohn,
Hat er verlassen seinen Thron
Und ist ein Jäger worden.
Er ist gelaufen früh und spat
Auf ihrer Spur nach ihrem Pfad
Von Osten bis zum Norden.

4

Er hat mit großem Fleiß gesucht,
Daß er sie könnt aus dieser Flucht
Mit seinem Netze fangen.
Und endlich hat er sie allein
Bei einem frischen Brünnelein
Erblicket und ergangen.

5

Da hat er sie in schneller Eil
Mit seinem scharfen Liebespfeil
Verwundet und gefället.
Er hat ihr abgeschiednes Herz
Genommen und mit süßem Schmerz
Dem seinen zugesellet.

6

Nun liegt sie ohne Herz und Kraft
In bittersüßer Liebeshaft
Und führt ein sterbend Leben.
Ihr ganz Gemüt und ganzer Sinn
Geht nur nach Jesu Herze hin,
Mit welchem ihrs umgeben.

CLXXXIII
Sie entbietet sich ihrem sie suchenden Bräutigam

1

Treuer Schäfer, der du mir
Schon längst nachlaufst mit Begier,
Der du mich suchst mit Verlangen,
Komm nur kühn herangegangen.
Komm ganz frei, ich will dir sein
Schafstall und auch Schäfelein.

2

Was dein Herze wird begehrn,
Soll mein Herze dir gewährn.
Was nur wünschet deine Seele,
Soll dir geben diese Höhle.
Ruhig, still, gelassen, mild
Will ich sein und wie du wilt.

3

Daß ich von dir weg gerennt,
War, daß ich dich nicht gekennt.
Weil du aber, o mein Leben,
Mir dich hast zu kennen geben,
So versprech ich, daß ich dir
Treu will bleiben für und für.

4

Komm, hier ist, was du gesucht,
Hier ist deiner Liebe Frucht,
Komm, hier magst du frei umfangen,
Deme du bist nachgegangen.
Komm, du treuer Schäfer du,
Meiner Seele Trost und Ruh.

5

Ich ergebe mich dir ganz,
Wonniglicher Lebensglanz,
Ich will dein Begehren stillen,
Du sollst mich mit Trost erfüllen.
Ich will dir dein Schäfelein
Und du sollst mein Hirte sein.

CLXXXIV

Ihr Geliebter ist ihr und sie ihm

1

Mein Lieb ist mir und ich bin ihm
Ein unverwendter Cherubim.
Wir schaun einander immer an,
So viel er mag, soviel ich kann.

2

Er liebt mich innig über sich,
Ich lieb ihn wieder über mich.
Er neiget sich zu mir mit Gunst
Und ich zu ihm mit keuscher Brunst.

3

Er sucht in meinem Herzen Ruh
Und ich schrei seinem immer zu.
Er wünscht zu sein in meiner Höhl
Und ich in seiner süßen Seel.

4

Er stillet meines Geists Begier,
Ich seine, die er hat zu mir.
Er kommt zu mir mit seinem Kuß
Und ich zu ihm mit stetem Gruß.

5

Er hat an mir sein eigne Lust
Und ich an seiner milden Brust.
Er ist mein angenehmster Klang
Und ich sein liebster Lobgesang.

6

Er ist mir Bräutgam, ich ihm Braut,
Er hat sich mir, ich ihm vertraut.
Er bleibet unzertrennlich mein
Und ich bleib unabläßlich sein.

7

So ist mein Lieb mir zugetan!
So bin ich ihme, was ich kann!
So mußt du sein, willst du zu ihm,
Wie Cherubim und Seraphim.

CLXXXV

Sie erzählt seine Treue

1

Der edle Schäfer, Gottes Sohn,
Von Ewigkeit verliebt,
Verließ sein Reich, verbarg die Kron
Und ging herum betrübt.
Er ging und sucht aus Lieb und Pein
Mit ängstlichen Gebärden
Sein arms verlornes Schäfelein,
Das sich verirrt auf Erden.

2

Und als er es gar glücklich fand,
Liebkoset und umfing
Und gleich in seiner Armen Band
Mit ihm nach Hause ging,
Da kam der Wolf und fiel ihn an
Mit seinen Rottgesellen
Und wollt ihn da auf frischer Bahn
Samt seinem Schäflein fällen.

3

Als dies der treue Schäfer sah,
Gab er sich in Gefahr,
Sprang vor und machte sich ihm nah
Und bot allein sich dar.
Er stritt, er rang, empfande Schmerz
Von diesen höllschen Hunden
Und ließ sich auch gar bis aufs Herz
Zerreißen und verwunden.

4

Er stritt, bis er von Kräften kam
Und seinen Geist aufgab,

Daß man ihn tot von dannen nahm
Und kläglich trug ins Grab.
Es ist ihm aber dieser Tod
Und Fall sehr wohl gelungen,
Weil er damit die Wölf als Gott
Erschlagen und verdrungen.

5

Dies teur erhaltne Schäfelein
Bist du, o meine Seel,
Für dich kam er in diese Pein,
Für dich ins Grabeshöhl.
Drum geh nun hin und sag ihm Dank
Mit Treu und reinem Leben
Und tu dich ihm zum Lobgesang
Mit Leib und Seel ergeben.

CLXXXVI
Die Psyche freut sich über die göttlichen Vollkommenheiten ihres Jesu

1

Mein Geist frohlocket und mein Sinn
Ob der Vollkommenheiten,
In denen ich seh Jesum blühn
Und sein zu allen Zeiten.
O große Freud und Fröhlichkeit
Ob Jesu großer Herrlichkeit.

2

Er ist die Weisheit, die im Haus
Alls ordnet und regieret,
Die ewge Klugheit, die durchaus
Den Szepter weislich führet.
O große Freud und Fröhlichkeit
Ob Jesu großer Herrlichkeit.

3

Dem Vater ist er gleich an Macht,
Dem heilgen Geist an Güte,
Am Wesen eines und an Pracht,
Am Adel und Gemüte.
O große Freud und Fröhlichkeit
Ob Jesu großer Herrlichkeit.

4

Er ist der Gottheit Blum und Glanz,
Die ewiglichen blühet,
Der Spiegel, da der Vater ganz
Sich abgebildet siehet.
O große Freud und Fröhlichkeit
Ob Jesu großer Herrlichkeit.

5

Er ist das wonnigliche Licht
Des Vaters und sein Leben,
Die Schönheit, der er ganz verpflicht,
Verbunden und ergeben.
O große Freud und Fröhlichkeit
Ob Jesu großer Herrlichkeit.

6

Er ist das undurchschiffte Meer,
Die unerschöpfte Quelle,
Allgegenwärtig ohn Beschwer,
Auch außer Ort und Stelle.
O große Freud und Fröhlichkeit
Ob Jesu großer Herrlichkeit.

7

Unendlich ist er, ohne Grund,
Unsterblich, ewig, immer,
Wahrhaftig, treu ob seinem Bund,

Bricht, was er zusagt, nimmer.
O große Freud und Fröhlichkeit
Ob Jesu großer Herrlichkeit.

8

Unwandelbar und voller Huld,
Gerecht, barmherzig, gütig,
Langmütig, gnädig zu der Schuld,
Reich, groß und höchst demütig.
O große Freud und Fröhlichkeit
Ob Jesu großer Herrlichkeit.

9

Er ist ein Wesen, welchs höchst rein,
Höchstselig ewig bleibet,
Ein ewiges, einfältigs Ein,
Welchs kein Verstand ausschreibet.
O große Freud und Fröhlichkeit
Ob Jesu großer Herrlichkeit.

10

Er ist sich selbst die Seligkeit,
Sein Fried und Freudenleben,
Sein Himmel, seine Herrlichkeit,
Sein Loben, sein Erheben.
O große Freud und Fröhlichkeit
Ob Jesu großer Herrlichkeit.

11

Was sing ich? Er ist tausendmal
Mehr, als ich kann gedenken!
In ihm muß aller Weisen Zahl
Vergehn und sich versenken.
O große Freud und Fröhlichkeit
Ob Jesu großer Herrlichkeit.

CLXXXVII

Sie singt Gott dem Vater einen Lobgesang

1

Gott Vater, der du aller Dinge
Ein Anfang und ein Schöpfer bist,
Der du mit höchstem Lobgesinge
Von allen Vater wirst gegrüßt:
Gott Vater sei in Ewigkeit
Gelobet und gebenedeit.

2

Der du von allen Ewigkeiten
Zeigst deinen eingen ewgen Sohn
Und ihn am Ende vorger Zeiten
Uns hast gesandt von's Himmelsthron:
Gott Vater sei in Ewigkeit
Gelobet und gebenedeit.

3

Der du uns hast in ihm erkoren,
Eh du der Welt gelegt den Grund,
Und uns zu Kindern neu geboren,
Aufrichtend einen ewgen Bund:
Gott Vater sei in Ewigkeit
Gelobet und gebenedeit.

4

Aus dem, als einer Ursprungssonne,
Die Lichter alle stammen her,
Aus dem, als einem Quell und Bronne,
Sich ausgießt aller Güte Meer:
Gott Vater sei in Ewigkeit
Gelobet und gebenedeit.

5

Der über Bös und über Gute
Läßt seiner Sonnen Schein aufgehn
Und die gerechte Straf und Rute
Sehr lang aus Langmut an läßt stehn:
Gott Vater sei in Ewigkeit
Gelobet und gebenedeit.

6

Der uns von Anbeginn der Erden
Das Reich der Himmel hat bereit
Und nötigt, daß wir Gäste werden
Der Hochzeit ewger Seligkeit:
Gott Vater sei in Ewigkeit
Gelobet und gebenedeit.

7

Der, dessen Tiefen unergründlich
Und unermeßlich seine Macht,
Der, dessen Anfang unerfindlich
Und unvergleichlich seine Pracht:
Gott Vater sei in Ewigkeit
Gelobet und gebenedeit.

8

Der, dessen vieler Majestäten
Die Himmel voll sind und die Welt,
Den alle Kreaturn anbeten,
Dem, was nur lebt, zu Fuße fällt:
Gott Vater sei in Ewigkeit
Gelobet und gebenedeit.

9

Dem tausend engelische Heere
Das „Heilig ist der Herrscher" schrein
Und alle Kräft ihr Kriegsgewehre
Zu ewiglichen Diensten weihn:

Gott Vater sei in Ewigkeit
Gelobet und gebenedeit.

10

Den aller Heilgen Chör und Orden
Mit Lob verehrn und stetem Preis,
Der immer angebetet worden
Vom ganzen Christen-Erdenkreis:
Gott Vater sei in Ewigkeit
Gelobet und gebenedeit.

11

Gib, daß dein Nam geheiligt werde,
Dein Reich zu uns komm auf der Welt,
Dein Will gescheh hier auf der Erde,
Wie in des hohen Himmels Zelt.
Gib unser Brot uns in der Zeit,
Dich zu genießn in Ewigkeit.

12

Erlaß die Schuld, wie wir erlassen,
Führ uns, Herr, in Versuchung nicht,
Rett uns vom Übel aller Maßen
Und bring uns in dein freies Licht,
Daß du von uns in Ewigkeit
Gelobt seist und gebenedeit.

CLXXXVIII

Das Lateinische Veni creator spiritus

1

Komm, heilger Geist, du Schöpfer du,
Sprich deinen armen Seelen zu.
Erfüll mit Gnaden, süßer Gast,
Die Brust, die du geschaffen hast.

2

Der du der Tröster bist genannt,
Des allerhöchsten Gottes Pfand,
Des Lebens Brunn, der Liebe Brunst,
Die Salbung, wesentliche Gunst.

3

Du siebenfaches Gnadengut,
Du Finger Gotts, der Wunder tut,
Du gibst der Erde, daß sie fließt
So mild, als du verheißen bist.

4

Zünd unsern Sinnen an dein Licht,
Die Herzen füll mit Liebespflicht.
Stärk unser schwaches Fleisch und Blut
Durch deiner Gottheit starken Mut.

5

Den Feind von uns treib fern hinweg
Und bring uns zu des Friedens Zweck,
Daß wir, durch deine Huld geführt,
Vermeiden, was uns nicht gebührt.

6

Mach uns durch dich den Vater kund,
Wie auch den Sohn, für uns verwundt.
Dich, aller beider Geist und Freud,
Laß uns verehrn zu jeder Zeit.

7

Ehr sei dem Vater, unserm Herrn,
Und seinem Sohn, dem Lebensstern.
Dem heilgen Geist in gleicher Weis'
Sei jetzt und ewig Lob und Preis.

CLXXXIX

Das Lateinische Veni sancte spiritus

1

Komm, o heilger Geist, o komm,
Wirf deins Lichtes Strahln herum
In meins finstern Herzens Schrein.
Komm, der Armen Aufenthalt,
Komm, du reicher Geber, bald,
Komm, o lieber Glanz, herein.
Komm, o heilger Geist, o komm.

2

Bester Tröster, liebster Gast,
Meines Geistes Ruh und Rast,
Süß Erquickung, sei nicht weit.
In der Arbeit meine Ruh,
In der Hitz mein Trunk bist du,
In Betrübnis meine Freud.
Komm, o heilger Geist, o komm.

3

O du selges Seelenlicht,
Laß das Herz, das dir verpflicht,
Deine reiche Güte spürn.
Denn ohn deinen Glanz und Schein
Kann in uns nichts fruchtbar sein,
Nichts sich regen und berührn.
Komm, o heilger Geist, o komm.

4

Mache rein alls, was befleckt,
Grünend, was verstocket steckt.
Heile, was verletzt und wund,
Beuge, was verstarrt und alt,

Pflege, was erfrorn und kalt,
Leite, was nicht fort gekonnt.
Komm, o heilger Geist, o komm.

5

Gib uns, die wir dir sind treu
Und auf dich vertrauen frei,
Deiner sieben Gnaden Flut.
Gib der Tugend schönsten Lohn,
Gib des selgen Ausgangs Kron,
Ewge Freud und ewges Gut.
Komm, o heilger Geist, o komm.

CXC

Sie singt dem heiligen Geist einen schönen Lobgesang

1

Du süße Taube, heilger Geist,
Der du zu uns kommst hergereist
Vom Vater und vom Sohne,
Dir soll jetzt durch des Mundes Klang
Erschalln meins Herzens Lobgesang
Vor deiner Gottheit Throne.
O süße Taube, heilger Geist,
Sei ewiglich von mir gepreist.

2

Du bist, der ob den Wassern schwebt,
Der Herr, durch welchen alles lebt,
Der alls Geschöpf beseelet.
Durch dich ist aller Himmel Pracht
Und ihre ganze Kraft gemacht,
Du hast sie ausgehöhlet.
O süße Taube, heilger Geist,
Sei ewiglich von mir gepreist.

22*

3

Du hast durch der Propheten Schar
Verkündiget, was künftig war,
Und Christum prophezeiet.
Du zündst auch noch auf frischer Bahn
Das Licht der Wahrheit kräftig an,
Wer nur sein Herz dir leihet.
O süße Taube, heilger Geist,
Sei ewiglich von mir gepreist.

4

Du bist der Brunn der Fruchtbarkeit,
Du hast Mariam benedeit,
Vor dir hat sie empfangen.
Durch dich ist Gottes ewger Sohn
Ein Mensch geworden und in Thron
Des Leibs der Jungfrau gangen.
O süße Taube, heilger Geist,
Sei ewiglich von mir gepreist.

5

Du hast gar huldreich dich erzeigt,
Als Christi Menschheit sich geneigt,
Die Taufe zu bekommen.
Hast auch mit deiner Süßigkeit
Auf ihm geruht zu jeder Zeit
Und ihn ganz eingenommen.
O süße Taube, heilger Geist,
Sei ewiglich von mir gepreist.

6

Du kamest wie ein starker Wind
Zu Christi heilgem Hofgesind
Und machst sie voller Wonne.
Du feurest ihre Zungen an,

Sie reden Sprachen, die man kann,
So weit auch geht die Sonne.
O süße Taube, heilger Geist,
Sei ewiglich von mir gepreist.

7

Du bist der Geist der Gnad und Huld,
Du flehst in uns für unsre Schuld,
Du bist der Geist der Güte.
Du machest uns zu Kindern Gotts,
Du machst uns würdig seines Brots,
Vergottest das Gemüte.
O süße Taube, heilger Geist,
Sei ewiglich von mir gepreist.

8

Du salbest uns mit Freudenöl,
Bist Honigseim in unsrer Kehl,
Bist Trost in allen Schmerzen.
Du bist die heilge Liebesbrunst,
Die weg treibt allen bösen Dunst
Aus den zerknirschten Herzen.
O süße Taube, heilger Geist,
Sei ewiglich von mir gepreist.

9

Du bist der Strom, klar wie Kristall,
Der mit so gnadenreichem Fall
Jerusalem erfreuet.
Du strömest wie ein Harfenton
Aus Gottes und des Lammes Thron,
Durch dich wird alls verneuet.
O süße Taube, heilger Geist,
Sei ewiglich von mir gepreist.

10

Du bleibst bei uns in Ewigkeit,
Wirst uns bei Endigung der Zeit
Frei und lebendig machen.
Du wirst mit deiner Gottheit Schein
Uns, die wir deine Küchlein sein,
Ganz seliglich anlachen.
O süße Taube, heilger Geist,
Sei ewiglich von mir gepreist.

11

Sei doch auch mir ein süßer Gott,
Ein süßer Gott in Todesnot,
Ein süßer Gott im Leben.
Laß mich dein liebes Küchlein sein,
Führ mich in deine Gottheit ein,
Ohn End ob mir zu schweben.
Daß du werdst ewiglich gepreist,
O süße Taube, heilger Geist,

CXCI

Sie ruft die heilige Dreifaltigkeit an

1

Hochheilige Dreifaltigkeit,
Die du so süß und milde
Mich hast geschaffen in der Zeit
Zu deinem Ebenbilde,
Ich liebe dich von Herzensgrund,
Ich preise dich mit meinem Mund.
Komm doch, komm und zeuch ein bei mir,
Mach Wohnung und bereit mich dir.

2

Gott Vater, nimm ganz kräftig ein
Das sinkende Gemüte,
Mach es zu deinem innern Schrein
Und deiner stillen Hütte.
Vergib, daß mein Gedächtnis sich
Zerstreut hat oft und sündiglich.
Bring es in eine wahre Ruh,
Daß nichts in ihm sei als nur du.

3

Gott Sohn, erleuchte den Verstand
Mit deiner Weisheit Lichte,
Vergib, daß er sich oft gewandt
Zu eitelem Gedichte.
Laß nunmehr nur in deinem Schein
Mein einzigs Schaun und Wirken sein.
Zeuch ihn, daß er schon allbereit
Verzückt steh über Ort und Zeit.

4

Gott heilger Geist, du Liebesfeur,
Entzünde meinen Willen.
Stärk ihn, komm mir zu Hilf und Steur,
Den deinen zu erfüllen.
Vergib, daß ich so oft gewollt,
Was sündlich ist und nicht gesollt,
Verleih, daß ich mit reiner Brunst
Dich aufrecht ewig lieb umsunst.

5

O heilige Dreifaltigkeit,
Führ mich doch ganz von hinnen.
Zeuch zu dir in dein Ewigkeit
All äußr und innre Sinnen.

343

Vereinige mich, laß mich hier
Eins mit dir sein, daß ich mit dir
Auch dort sei eine Herrlichkeit,
O heiligste Dreifaltigkeit.

CXCII

Sie begehrt ganz in das Brot des Lebens verwandelt zu werden

1

O heilsams Opfer, Jesu Christ,
Du bist mein Herr und Gott,
Ich sehne mich zu jeder Frist
Nach dir, mein Himmelsbrot.
Kommt alle, die ihr hungrig seid,
Und eßt dies Brot noch in der Zeit,
Denn dieses Brot ist Gott.

2

Ohn dich ist mir des Himmels Zelt
Nichts anders als nur Pein,
Ohn dich kann mir die ganze Welt
Nicht eine Freude sein.
Du bist allein meins Geistes Lust,
Allein das Labsal meiner Brust,
Allein mein Himmelreich.

3

Entzünd mein Herz, o keusches Feur,
Mit deiner heilgen Brunst,
O Speise, komme mir zur Steur
Mit deiner Lieb und Gunst.
Zünd an, verbrenn, vermehr die Glut,
O Jesu, höchst gewünschtes Gut,
Daß ich, dein Phönix, sterb.

4

Verneure mich, gib mir dein Herz,
Gieß deine Lieb mir ein;
Denn meins ist kalt und voller Schmerz,
Es kann nicht liebend sein.
Je mehr ich denk, o Jesu Christ,
Daß du der Liebe würdig bist,
Je sehrer kränk ich mich.

CXCIII
Alles ist ihr nichts vor der Süßigkeit Jesu im heiligen Sakrament

1

Süßes Seelenabendmahl,
Himmelskost im Jammertal,
Manna aller Lüste;
O wie würde nicht die Welt
Alls verachten, was sie hält,
Wenn sies weislich wüßte.

2

Aller Speisen Lust verschwindt,
Wenn man dich im Herzen findt,
Du allein bist süße;
Dir gleicht nichts, was Wald und Gruft,
Was Feld, Meer gibt, was die Luft
Und die Wasserflüsse.

3

Du ernährest wie ein Brot,
Tränkest wie ein Quell in Not,
Heilst, was will verderben;
Bist der Armen Trost und Schatz,
Der Verfolgten Zufluchtplatz,
Lässest niemand sterben.

4

Du bists Opfer für die Schuld,
Bist der Frommen Gnad und Huld,
Bist mein Leibgedinge;
Bist der Engel Speis und Trank,
Bist mein Lust- und Lobgesang,
Gott und alle Dinge.

5

Weg mit aller Speis und Tracht,
Die den Königen wird bracht,
Weg mit Spezereien;
Jesus ist mein Trost allein,
Meine Speis und bester Wein,
Er soll mich erfreuen.

CXCIV
Sie liebet Gott bloß um Gott mit dem heiligen Xaverius

1

Ich liebe Gott und zwar umsunst,
Ich lieb ihn mit den Flammen,
Die er durch seine Gnad und Gunst
In mir selbst treibt zusammen.

2

Ich lieb ihn und die Lieb ist nicht
Um dies und das zu haben.
Wer nichts nicht liebt als 's ewge Licht,
Der liebet nicht um Gaben.

3

Es reizt mich nicht die Hoffnung an
Der himmelischen Freuden,
Auch bringt mich nicht auf diese Bahn
Die Furcht der ewgen Leiden.

4

Die Lieb ist nichts, die man erkauft,
Ich will ihn frei umfassen;
Auch die nichts, die gezwungen lauft,
Ich will sie fahren lassen.

5

Du, mein Erlöser, bists allein,
Der mich zur Lieb beweget;
Du bists, der diese süße Pein
In meinem Geist erreget.

6

Dein Kreuz, die Schmach, die Angst, der Schmerz,
Die Striemen und die Wunden,
Die sind es, welche mir mein Herz
Genommen und gebunden.

7

Dies ist das Feur, das mich entzündt,
Dies ists, das in mir brennet,
Weil ich, daß du für meine Sünd
Gestorben bist, erkennet.

8

Nimm nun den Himmel immer hin,
Ich will dich doch noch lieben;
Reiß auch die Höll aus meinem Sinn,
Ich will dir doch mich üben.

9

Versprich mir nichts für meine Treu,
Ich will dich doch nicht lassen;
Mach mich mit keiner Strafe scheu,
Ich will dich doch umfassen.

10

Es sei kein Himmel, keine Welt,
Kein Fegfeur, keine Hölle,
So lieb ich doch, wie ich gemeldt,
Zu jeder Stund und Stelle.

CXCV

Sie hält die Hoheit Gottes
und ihre Nichtigkeit gegeneinander

1

Du unvergleichlichs Gut, wer wollte dich nicht lieben?
Wer wollte nicht sein Herz um dich, o Gott, betrüben?
Wer wollte nicht mit Geist und Sinn
In dich, mein Jesu, wandern hin?

2

Du bist der ewge Glanz, den nur bloß anzuschauen
Kein Engel würdig ist, kein Mensch sich kann getrauen!
Und dennoch bist du mehr gemein
Als immermehr der Sonnenschein.

3

Du bist die Majestät, der alles Ehr erzeiget,
Der Herr, vor dem Erd, Höll und Himmel tief sich neiget.
Und doch neigst du dich, Herr, so weit
Zu mir, der schnödsten Schnödigkeit.

4

Du bist die Weisheit selbst, die ewiglich regieret,
Der tiefeste Verstand, der alles glücklich führet.
Und doch kommst du mich hinzuführn,
Daß auch ich soll mit dir regiern.

5

Du bist das höchste Gut, du darfst kein Gut verlangen,
Du selbst bist alle Lust, darfst keine Lust empfangen.
Und doch verlangst du meine Brust
Zu deiner ewgen Freud und Lust.

6

Du bist die Schönheit selbst, du kannst nichts Schöners finden,
Es kann dich nichts als nur dein eigne Schönheit binden.
Und doch hat deiner Liebe Band
Dich mir, dem Schatten zugewandt.

7

Du sitzest auf dem Thron, vor dem die Teufel zittern,
Es kann in deinem Reich sich ewiglich nichts wittern.
Und doch gibst du dich so herab
Um mich bis in das Kreuz und Grab.

8

O unvergleichlichs Gut, wie sollt ich dich nicht lieben?
Wie sollte sich mein Herz nach dir nicht stets betrüben?
Ach wäre doch mein Geist und Sinn
In dich schon ganz, mein Jesu, hin.

CXCVI

Sie dankt Gott für viel empfangene Wohltaten

1

Tritt hin, o Seel, und dank dem Herrn
Für seine tausend Gaben,
Mit denen er dich frei und gern
Geziert hat und erhaben.
Dank ihm jetzt und zu allen Zeiten
Dafür mit tausend Innigkeiten.

2

Er hat aus nichts dich hergebracht,
Zu seinem Bild formieret,
Zu seinem Gleichnis dich gemacht
Und stattlich ausstaffieret.
Dank ihm jetzt und zu allen Zeiten
Dafür mit tausend Innigkeiten.

3

Er hat sogar seins Herzens Blut
Für deine Schuld vergossen
Und dich von Banden und der Glut
Der Höllen losgeschlossen.
Dank ihm jetzt und zu allen Zeiten
Dafür mit tausend Innigkeiten.

4

Drauf hat er dich zum Kind und Sohn
Als Vater angenommen
Und will, daß du auf seinen Thron
Sollst ewger Erbe kommen.
Dank ihm jetzt und zu allen Zeiten
Dafür mit tausend Innigkeiten.

5

Für dich hat er die ganze Welt
Erschaffen und erbauet.
Für dich ist sie so wohl bestellt
Und was man drinnen schauet.
Dank ihm jetzt und zu allen Zeiten
Dafür mit tausend Innigkeiten.

6

Dir dienet jede Kreatur,
Vor dir muß alls sich neigen.
Botmäßig muß sich die Natur

Des Ganzen dir erzeigen.
Dank ihm jetzt und zu allen Zeiten
Dafür mit tausend Innigkeiten.

7

Dir trägt die Erde Brot und Wein,
Dir Arznei für die Schmerzen.
Dir hegt sie Tiere groß und klein,
Dir Gold in ihrem Herzen.
Dank ihm jetzt und zu allen Zeiten
Dafür mit tausend Innigkeiten.

8

Dort läuft und strömt das Wasser dir,
Da stehet es dir stille,
Bringt Perln, Koralln und andre Zier
Und Fische dir die Völle.
Dank ihm jetzt und zu allen Zeiten
Dafür mit tausend Innigkeiten.

9

Die Luft erquickt dich spät und früh
Von außen und von innen.
Die Vöglein und das Federvieh
Ergötzen deine Sinnen.
Dank ihm jetzt und zu allen Zeiten
Dafür mit tausend Innigkeiten.

10

Dir fährt die Sonn des Tags herein
Auf ihrem goldnen Wagen,
Dir läßt der Mond mit seinem Schein
Des Nachts herum sich tragen.
Dank ihm jetzt und zu allen Zeiten
Dafür mit tausend Innigkeiten.

11

Zu deinen Diensten sind bereit
Die engelischen Scharen,
Sie wachen jetzt und alle Zeit,
Daß sie nur dich bewahren.
Dank ihm jetzt und zu allen Zeiten
Dafür mit tausend Innigkeiten.

12

Der Himmel ist für dich gemacht
Mit allen seinen Schätzen.
Er wart, mit seiner Lust und Pracht
Vor alln dich zu ergötzen.
Dank ihm jetzt und zu allen Zeiten
Dafür mit tausend Innigkeiten.

13

Ach, ach, ist das nicht große Gunst,
Nicht große Huld und Güte,
Die dir schon jetzt erzeigt umsunst
Das göttliche Gemüte.
Dank ihm jetzt und zu allen Zeiten
Dafür mit tausend Innigkeiten.

14

Und was noch mehr, er sieht nicht an
(Willst du nur Gnade finden)
Die Schmach, die du ihm angetan
Mit tausendfachen Sünden.
Dank ihm jetzt und zu allen Zeiten
Dafür mit tausend Innigkeiten.

15

Er gibt sogar sich selbst für dich,
Er liebt dich wie sein Leben
Und will sich endlich ewiglich

Dir schenken und ergeben.
Drum dank ihm stets zu allen Zeiten,
Dafür mit tausend Innigkeiten.

CXCVII

Sie beschreibt die Schönheit
und Fürtrefflichkeit der christlichen Kirchen

1

Laßt uns zum Berg des Herren gehn
Und in dem Hause Gottes stehn.
Laßt uns die schöne Kirche schaun,
Die er auf Petrum wollen baun.
Die Kirche, die er so gegründt,
Daß sie nicht hebt kein Sturm noch Wind,
Die Kirche, die auch nicht der Hölln
Unsinnge Pforten sollen fälln.

2

Sie steht so schöne zubereit
Ins rechten Glaubens Einigkeit.
Sie ist und bleibt von Anbeginn
In einer Meinung, einem Sinn.
Sie folgt dem Hirten und dem Haupt,
Dem sie von Anfang hat geglaubt.
Sie ist die wohlgefügte Stadt,
Die sich noch nie empöret hat.

3

Schau, wie so heilig ihr Gehör,
Wie unverfälscht ist ihre Lehr!
Schau, wie viel tausend der Jungfraun
Dem Lamme Gottes sich vertraun.

Wie viel in strenger Einsamkeit
Verzehren ihre Lebenszeit!
Schau, wie viel tausend Hab und Blut
Verschwenden um das höchste Gut.

4

Schau, wie so weit und groß sie ist,
Als man noch nie von keiner liest!
Sie herrscht vom Meere bis zum Meer,
Zu ihr komm'n alle Völker her.
Was sie gebietet, ist gemein,
So weit man sieht der Sonnen Schein.
Man hat zu jeder Zeit und Ort
Geglaubt, was sie noch glaubt, das Wort.

5

Sie steht auf der Apostel Grund,
Auf ihrer Nachfolg, ihrem Mund.
Sankt Peter ist der Fels und Stein,
Den Christus selbst geleget ein.
Der heilge Geist, den er versprach,
Ist, der sie leitet nach und nach.
Er läßt sie nie in Irrtum falln,
Obs zwar die Feinde täglich lalln.

6

O Herr, laß mich auch einen Stein
In dieser deiner Kirchen sein!
Laß mich auf dieses Felsens Höhn
Ganz fest und unbeweglich stehn!
Treib ab des Feindes Grimm und List,
Mit der er sich auf uns vermißt.
Bis daß du wirst den ganzen Bau
Erheben auf des Himmels Au.

CXCVIII

Sie frohlockt, daß Gott die christliche Kirche immer erhalten hat

1

Preise, Jerusalem, preise den Herrn,
Lobe, Berg Sion, Gott dankbar und gern.
Singet und klinget mit munterem Schalle,
Ihr, dessen Bürger und Bürgerinn' alle.

2

Denn er beschützt noch die Schlösser der Stadt,
Die er auf Petro, dem Fels, stehen hat.
Alle die Pforten der grimmigen Höllen
Können sie bis auf die Stunde nicht fällen.

3

Ihre zwölf Gründe von edlem Gestein
Sind noch ganz unversehrt, funkelnd und rein.
Alles ihr Gold in den inneren Grenzen
Sieht man noch fein wie im Anbeginn glänzen.

4

Ihres Regenten Thron, Sitz und Gewalt
Ist wie die Sonn an dem Himmel gestalt.
Wie eine Burg auf den Bergen und Höhn
Siehet ihn jedermann sichtbarlich stehn.

5

Ewiglich bleibet bei ihrem Geschlecht
Gottes Gesetze, Wort, Richtschnur und Recht.
Ewiglich will er sie gläubig erhalten,
Nimmermehr lassen vergehn noch erkalten.

6

Ewig soll sichtbarlich bleiben ihr Thron,
Gleichwie die Sonn und vollkommener Mon.
Ewig ihr Same, denn Gott hats geschworen,
Da er sie Christo zur Erbschaft erkoren.

7

Kommet deswegen und lasset uns stehn
Auf dieses Berges gesegneten Höhn.
Laßt uns auf ihme mit Singen und Beten
Lobend und dankend vor Jesum hintreten.

CIC

Sie singt von der eitlen Herrlichkeit der Welt

1

Was strebt und kriegt die Welt nach eitler Herrlichkeit,
Da doch derselben Glück vergehet mit der Zeit!
Wie eines Töpfers Werk bald wird zu nicht gemacht,
So bald fällt auch dahin all ihre stolze Pracht.

2

Trau mehr auf eine Schrift, die man ins Eis eingräbt,
Als wenn die eitle Welt betrüglich dich erhebt.
Sie teilt zwar Gaben aus und hat der Tugend Schein,
Gibt aber nichts darob, man kann versichert sein.

3

Man trau mehr einem Mann, der voll Betrügerei,
Als allem Glück der Welt und ihrer Heuchelei.
Sie ist voll falschen Wahns und schnöder Eitelkeit,
Hat lauter falschen Tand und falsche Fröhlichkeit.

4

Wo ist jetzt Salomon, der Weisest in der Welt?
Wo Samson, der vor war der allerstärkste Held?
Wo Absalon, der Fürst, mit seinem schönen Haar?
Und dann auch Jonathan, der so belieblich war?

5

Wo ist der Cäsar nun, der so erhaben saß?
Und wo der reiche Mann, der immer soff und fraß?
Wo ist nun Tullius und sein beredter Mund?
Wo Aristoteles, der so viel hat gekonnt?

6

So große Könige, so vieler Helden Mut,
So manches starke Reich, so überflüssigs Gut,
So treffliche Gewalt und so viel Herrn der Welt!
In einem Augenblick wird alles hingefällt.

7

Wie kurz ist doch dies Fest, die Herrlichkeit der Zeit,
Dem Schatten eines Mannes gleicht ihre Lust und Freud!
Sie mindert für und für den Lohn, der ewig währt
Und führt den Menschen ab, daß er zum Abgrund fährt.

8

O nichtigs Madenaas, o schlechter Erdenkloß,
O Tod, o Eitelkeit, was denkst du dich so groß!
Du weißt nicht, ob du noch erlebest einen Tag,
So tu doch allen Guts, weils noch geschehen mag.

9

Denn alles Fleisches Pracht, nach welchem man so rennt,
Wird in der heilgen Schrift ein blühend Heu genennt.
Gleichwie ein leichtes Blatt verjaget wird vom Wind,
So wird das Leben auch hinweggerafft geschwind.

10

Halt ja nicht das für dein, was du noch kannst verliern,
Denn was die Welt dir gibt, das tracht sie zu entführn.
Was droben ist, bedenk und sei ihm zugetan,
Glückselig, wer die Welt genug verachten kann.

CC

Gleichmäßigen Inhalts

1

Du schnöder Madensack, was bildest du dir ein?
Meinst du denn, daß du wirst auf Erden ewig sein?
Ach nein, betrüg dich nicht, du kannst nicht lange stehn
Und mußt in kurzer Zeit mit Schmerzen untergehn.

2

Schau, alle Pracht und Ehr und alle Herrlichkeit,
Die du auf Erden hast, ist nichts als Eitelkeit;
Ist wie ein Rauch und Dampf und wie ein zartes Glas,
Wie eine Wiesenblum und abgemeiet Gras.

3

Wie manche große Stadt, wie manches Königreich
Wird einer Wüstenei und schlechtem Dörflein gleich!
Wie oft hat man gesehn die Kaiser übel stehn
Und große Könige mit Jammer untergehn.

4

Dein schönes Angesicht, dein roter Rosenmund
Ist Augenblicks dahin, verstellt und ungesund.
Dein grader starker Leib veraltet und nimmt ab,
Verdorret und verkrummt und neiget sich ins Grab.

5

Dein Reichtum, Geld und Gut ist Asche, Staub und Spreu,
Ein leichtes Federlein, ein abgedorrtes Heu.

Heut ist es noch bei dir, bald kommt ein kleiner Wind,
Der wehet es so weit, daß man es nirgends findt.

6

So geht die Welt dahin mit ihrer Herrlichkeit,
So, so besteht die Lust der schnöden Eitelkeit.
So lange hält dies Eis, so lange liegt der Schnee
Und folgt doch nichts darauf als Jammer, Angst und Weh.

7

Drum, schnöder Madensack, so bilde dir nicht ein,
Daß du alleine wirst auf Erden ewig sein.
Verschmäh die Eitelkeit, die Welt und all ihr Gut,
Kasteie deinen Leib, brich deinen stolzen Mut.

8

Beschau die Ewigkeit, ach, ach wie lang ist sie!
Bereite dich zum Tod, er folgt dir spät und früh.
Tu Guts und bessre dich, auf daß du kannst bestehn,
Wenn du sollst Rechnung tun und vors Gerichte gehn.

9

Erhebe dich zu Gott, wirf deinen ganzen Sinn
Und alles, was du hast, auf ihn alleine hin.
In ihn verliebe dich, um ihn sei keusch betrübt,
Wie selig ist der Mensch, dem nichts als Gott beliebt.

CCI

Sie muntert auf zum Streit

1

Auf, auf, o Seel, auf, auf zum Streit,
Auf, auf zum Überwinden!
In dieser Welt, in dieser Zeit
Ist keine Ruh zu finden.
Wer nicht will streiten, trägt die Kron
Des ewgen Lebens nicht davon.

2

Der Teufel kommt mit seiner List,
Die Welt mit ihrem Prangen,
Das Fleisch mit Wollust, wo du bist,
Zu fälln dich und zu fangen.
Streitst du nicht wie ein tapfrer Held,
So bist du hin und schon gefällt.

3

Gedenke, daß du zu dem Fahn
Deins Feldherrns hast geschworen,
Gedenke, daß du als ein Mann
Zum Streit bist auserkoren.
Gedenke, daß ohn Streit und Sieg
Nie keiner zum Triumph aufstieg!

4

Wie schmählich ists, wenn ein Soldat
Dem Feind den Rücken kehret!
Wie schändlich, wenn er seine Stadt
Verläßt und sich nicht wehret!
Wie spöttlich, wenn er noch mit Fleiß
Vor Trägheit wird dem Feinde Preis.

5

Bind an, der Teufel ist bald hin,
Die Welt wird leicht verjaget,
Das Fleisch muß endlich aus dem Sinn,
Wie sehr dichs immer plaget.
O ewge Schande, wenn ein Held
Vor diesen dreien Buben fällt!

6

Wer überwindt, der wird vom Baum
Des ewgen Lebens essen,
Mit seinem Haupt wird er den Raum

Der Himmelskrone messen.
Wer überwindt, den soll kein Leid
Noch Tod berührn in Ewigkeit.

7

Wer überwindt und seinen Lauf
Mit Ehren geht vollenden,
Dem will der Herr alsbald darauf
Verborgnes Manna senden,
Ihm geben einen weißen Stein
Und einen neuen Namen drein.

8

Wer überwindt, bekommt Gewalt,
Wie Christus zu regieren,
Bekommet Macht, die Völker bald
In einer Schnur zu führen.
Wer überwindt, bekommt vom Herrn
Zum Feldpanier den Morgenstern.

9

Wer überwindt, soll ewig nicht
Aus Gottes Tempel gehen,
Soll drinnen wie ein englisch Licht
Und goldne Säule stehen.
Der Name Gottes und des Herrn
Soll leuchten von ihm weit und fern.

10

Wer überwindt, soll auf dem Thron
Mit Christo Jesu sitzen,
Soll glänzen wie ein Gottessohn
Ins hohen Himmels Spitzen.
Soll ewig herrschen und regiern,
Soll ewiglich den Himmel ziern.

11

So streit denn, Seel, streit keck und kühn,
Daß du mögst überwinden.
Streng alle Kräft an, allen Sinn,
Daß du dies Gut mögst finden.
Wer nicht will streiten um die Kron,
Bleibt ewiglich in Spott und Hohn.

CCII
Die Krone der ewigen Seligkeit

1

Kommt, meine Freund, und höret an,
Was mir Gott dort wird geben,
Kommt, schaut, wie man wird angetan
Im ewgen Freudenleben.
Komm, hört mich singen von der Kron,
Die mir mein Bräutgam, Gottes Sohn,
Wird ewiglich aufsetzen.

2

Ists nicht ein Trost, er ruft mir schon?
Er ruft, ich soll nur kommen,
Soll kommen vom Berg Libanon,
Den ich hab eingenommen.
Er ruft mir nach und nennt mich Braut,
Die ihm verlobt ist und vertraut,
Er spricht, er will mich krönen.

3

Die Kron wird sein das helle Licht,
Mit dem ich werde schauen
Der ewgen Wahrheit Angesicht
Und ihrer Schönheit Auen.
Mit dieser Kron werd ich umlaubt,
Weil ich der Wahrheit hab geglaubt.
Dies, dies ist meine Krone.

4

Die Kron wird sein die Sicherheit,
Daß mich nichts kann vertreiben,
Daß ich in solcher Seligkeit
Werd ewiglich verbleiben.
Mit dieser Krone krönt mich Gott,
Weil ich auf ihn gehofft in Not.
Dies, dies ist meine Krone.

5

Die Kron wird sein die Lieblichkeit,
Gott innig zu genießen
Und in sein ewge Süßigkeit
Mit ewger Lust zerfließen.
Denn diese Kron er mir drum gibt,
Weil ich ihn hab allhier geliebt.
Dies, dies ist meine Krone.

6

Die Kron wird sein die höchste Ruh,
Das Aufhörn der Verlangen,
Dieweil ich werd in jedem Nu
Das ewge Gut empfangen.
Denn weil ich ihn verlangt allhier,
So gibt Gott diese Krone mir.
Dies, dies ist meine Krone.

7

Die Krone wird die Klarheit sein,
In der mein Leib wird glänzen
Mehr als der Sonn- und Mondenschein
In dieses Himmels Grenzen.
Er wird mehr glänzen als Kristall,
Mehr als Karfunkel und Opal.
Dies, dies ist meine Krone.

8

Die Kron wird sein, daß mich kein Leid
In Ewigkeit kann kränken,
Daß mich nichts kann in Traurigkeit
Noch eingen Unmut senken,
Wird ewige Gesundheit sein
Und Sicherheit vor aller Pein.
Dies, dies ist meine Krone.

9

Die Kron ist die Subtiligkeit
Des Leibs und seine Stärke,
Die ihm beiwohnet jederzeit
In jedem Tun und Werke.
Er geht durch Eisen und durch Stein,
Wie durch ein Glas der Sonnenschein.
Dies, dies ist meine Krone.

10

Die Kron ist die Geschwindigkeit
Der höchst geschickten Glieder,
Durch die ich flugs kann weit und breit
Nach Wunsch sein hin und wieder.
Wo ich nur will, da bin ich bald
Im Augenblick ohn Aufenthalt.
Dies, dies ist meine Krone.

11

Die Kron wird sein das Wohlgefalln
An himmlischen Gebäuen,
Die Lust an den Geschöpfen alln,
Die Gott dann wird verneuen.
Da wird man schaun Sonn, Mond und Stern,
Wie man nur will bald nah und fern.
Dies, dies ist meine Krone.

12

Die Kron ist ferner der Genuß
Der englischen Gespielen,
Der Heilgen unverfälschter Kuß,
Der Liebe von so vielen.
Die innigste Vertraulichkeit,
Die Demut und die Freundlichkeit.
Dies, dies ist meine Krone.

13

Die Kron ist, daß ich, wenn ich will,
Auch gar kann Jesum küssen
Und seinen Kuß ohn Maß und Ziel
Hinwiederum genießen.
Die Kron ist, ihm gemeine sein,
Empfahen seinen Glanz und Schein.
Dies, dies ist meine Krone.

14

Die Kron wird sein die ewge Lust
Von Gottes Angesichte,
Von seinem Geist und seiner Brust,
Von dem dreieingen Lichte.
Eins sein mit ihm, das sein, was er,
Ein Geist und einges Wollustmeer.
Dies, dies ist meine Krone.

15

Dies ist die Kron, die ewge Kron,
Die Gott mir auf wird setzen.
Mit diesem Troste wird sein Sohn,
Mein Jesus, mich ergötzen.
Hat auch ein Kaiser solche Macht
Gehabt und je zu Wege bracht
Als meine Macht und Krone?

16

O Jesu, Jesu wirke doch
Und hilf mich zubereiten,
Behüt mich vor der Sünden Joch,
Verleih mir Kraft zu streiten.
Erhalt mich treu bis in den Tod,
Gib Sieg, daß du mich, süßer Gott,
Kannst ewiglich so krönen.

CCIII

Sie preist die heilige Jungfrau Maria mit dero sieben himmlischen Freuden

1

Du Königin der Herrlichkeit,
Maria, sei gebenedeit.
Du bist nach deinem großen Sohn
Der ewgen Gottheit schönster Thron.

2

Du übertriffst, o fein Perlein,
Mit deinen Jungfernkränzelein
Die himmelische Reinigkeit
Der Heiligen und Engel weit.

3

Durch deinen Glanz wird überall
Erleucht des ganzen Himmels Saal.
Du bist die Sonne, deren Schein
Macht alls, was drinn ist, freudig sein.

4

Du bist die Fürstin, deren Ehr
Kein andr erreichet nimmermehr.
Dich bet als Gottes Mutter an
Der Auserwählten ganzes Fahn.

5

Durch dich wird aller Welt gewährt,
Was sie in ihrer Not begehrt.
Du kannst, du sein Gnadenthron,
Erhalten alls von deinem Sohn.

6

Die Ehre deiner Herrlichkeit
Vermehret sich noch allezeit,
Dein Ruhm wird wachsen, bis die Welt
Zerschmelzet und ins Feuer fällt.

7

Von deinem Sohn wird große Freud
Für deine Diener zubereit.
Drum bitten wir dich, daß wir dir
Nächst ihme dienen für und für.

CCIV

Sie grüßt die Jungfrau Maria mit dem Ave Filia Dei Patris

1

Du Tochter Gottes, sei gegrüßt,
Die du des Vaters Liebste bist!
Hilf, daß wir arme Würmelein
Auch mögen seine Kinder sein.

2

Gegrüßt sei, Mutter, die, erkorn,
Des Vaters ewgen Sohn geborn!
Bitt, daß er uns auch woll beschern,
Daß wir den auch in uns gebärn.

3

Gegrüßt sei, auserwählte Braut,
Dem heilgen Geist allein vertraut!
Mach, daß auch wir durch deine Gunst
Empfinden seiner Liebe Brunst.

4

Gegrüßt sei jetzt und allezeit,
Du Tempel der Dreifaltigkeit!
Erhalt, daß unser Seel und Leib
Ihr Tempel sei und ewig bleib.

CCV

Jesus ist ihr ein Schatz voll Seligkeit

1

Jesus, ein Schatz voll Seligkeit,
Ist uns zum Erbteil worden,
Hat sich begeben in der Zeit
In unsers Elends Orden.
Dank sei dir, laßt uns alle schrein,
Jesus, mein Schatz und Seligsein!

2

Er ist erschienen in der Welt,
Erfreulich wie die Sonne,
Und hat sich unter uns gestellt
Mit freudenreicher Wonne.
Gebenedeit sei, laßt uns schrein,
Jesus, mein Schatz und Seligsein!

3

Er hat mit unerhörter Huld
Sich zu uns Alln geneiget
Und Gottes Gnad, Lieb und Geduld
Ganz freundlich angezeiget.

Geliebt sei wieder, laßt uns schrein,
Jesus, mein Schatz und Seligsein!

4

Er hat für unsre Missetat
Gar williglich gebüßet
Und uns mit seinem Geist, anstatt
Der Straf und Pein, geküßet.
Geküßt sei wieder, laßt uns schrein,
Jesus, mein Schatz und Seligsein!

5

Er will den lieben Englein gleich
Uns auf das schönste zieren
Und in sein himmlisch Königreich
Zur ewgen Hochzeit führen.
Gelobt sei, laßt uns ewig schrein,
Jesus, mein Schatz und Seligsein!

Anhang

Die Psyche liebt Jesum mehr als sich selbst und alles, was sie ist*)

1

Mehr als mein Augen lieb ich dich,
Du mehr als Tausendschöner!
Mehr als mir selbst ergeb ich mich,
Du würdiger Nazarener.
Mehr als den Atem und was sonst
Schätz ich mir deine Gnad und Gunst.

---

*) Das in die heilige Seelenlust nicht aufgenommene Lied trägt Schefflers letztes Werk ,,Die Sinnliche Beschreibung der vier letzten Dinge'' am Schlusse mit den hier folgenden einleitenden Worten nach:
Folgender Gesang zu deß Autoris verliebter Psyche gehörig hiernach gesetzt wird, weil in der Psyche andermahligener edition nicht hat können beygefüget werden.

2

Du bist mir lieber als mein Herz,
Mehr teur als mein Geblüte,
Mehr angenehm ohn allen Scherz,
Als selbst mir mein Gemüte.
Du bist mir edler als die Seel,
In meines eignen Leibes Höhl.

3

Mein Wesen ist mir nicht so wert,
Nicht hunderttausend Leben,
Die ich, wenn sie mir wärn beschert,
Für dich nicht wollte geben.
Mit einem Wort, ich liebe dich
Viel tausendmal mehr als selbst mich.

4

Ach, daß dich doch, du höchstes Gut,
Die ganze Welt so liebte
Und aller Menschen Sinn und Mut
In dieser Lieb sich übte!
Ach, huldenreichster Glanz und Schein,
Strahl diese Lieb doch allen ein!

INHALTSVERZEICHNIS

Jugend- und Gelegenheitsgedichte

Heilige Seelenlust oder geistliche Hirten-Lieder

Erstes Buch

Zweites Buch

Alphabetisches Verzeichnis nach den Anfängen der Lieder